ZECA

DEIXA O SAMBA ME LEVAR

1ª edição - 2014

www.sonoraeditora.com.br
www.facebook.com/sonoraeditora

www.sambabook.com.br

SONORA
Direção Editorial: Marcelo Fróes
Assistente Editorial: Maíra Contrucci Jamel
Revisão: Maíra Contrucci Jamel
Projeto gráfico, diagramação e produção gráfica: Jéssica Campos e Marcelo Santos
Coordenação Geral: Marcus Fabrício Cunha
Produção Executiva: Flávio Cristiano Cunha
Direção de Negócios: Michel Jamel

Idealização do projeto Sambabook
Afonso Carvalho

MUSICKERIA
Direção Geral:
Afonso Carvalho, Luiz Calainho e Flávio Pinheiro

EQUIPE ZECA PAGODINHO
Coordenação Executiva: Leninha Brandão

CIP-BRASIL. CATALOGAÇÃO-NA-FONTE
SINDICATO NACIONAL DOS EDITORES DE LIVROS, RJ

B898s Bruno, Leonardo; Barboza, Jane
Sambabook Zeca Pagodinho / Leonardo Bruno; Jane Barboza. - 1. ed. Rio de Janeiro: Sonora Editora, 2014.
270 p. : il. ; 23 cm
ISBN 978-85-66567-12-0
1. Zeca Pagodinho. 2. Compositores. 3. Cantores. I. Bruno, Leonardo. II. Barboza, Jane. III. Título.
CDU 929

Impressão e acabamento: Prol Gráfica
Fotos: Acervo Zeca Pagodinho
Foto da Capa: Guto Costa

Vendas e distribuição:
INDIGO BRASIL EMPREENDIMENTOS CULTURAIS
Av. das Américas, 500 Bl. 4 sala 315 - Barra da Tijuca
Rio de Janeiro - RJ - CEP 22.640-100
Telefone: (21) 2484-0619
E-mail: indigo@indigobrasil.com
www.indigobrasil.com

ZECA

DEIXA O SAMBA ME LEVAR

APRESENTAÇÃO

É provável que seu Jessé e dona Irinéa nunca tenham imaginado que seu quarto filho, um menino franzino que recebeu o nome do pai, se tornaria um dos mais autênticos símbolos da identidade brasileira.

Zeca Pagodinho é uma das poucas unanimidades de que se tem notícia em nosso país. E, nesse caso, somos obrigados a discordar de Nelson Rodrigues, porque essa unanimidade não tem nada de burra, muito pelo contrário. Como poucos, Zeca transmitiu em sua arte a espontaneidade e o bom humor do brasileiro, sem com isso deixar de apresentar uma poesia cheia de sentimento e profundidade. Raros artistas conseguem ter prestígio e popularidade ao mesmo tempo, e Zeca é um deles. Da Zona Sul à Zona Norte, do Oiapoque ao Chuí, do barraco à cobertura, do caviar ao queijo coalho, ele é a ponte que promove o encontro de todos.

Por essas e muitas outras, o projeto Sambabook mais uma vez se sente prestigiado em, após homenagear João Nogueira e Martinho da Vila, apresentar ao público sua terceira edição celebrando a música do nosso querido Zeca Pagodinho.

Essa discobiografia que lhe chega às mãos é fruto de uma rica pesquisa de Jane Barboza e Leonardo Bruno, que transcreveram com muita sensibilidade a trajetória de Zeca através da história de cada um dos seus discos.

Com uma obra tão extensa, não foi tarefa simples selecionar as 24 canções que entraram no DVD e nos dois CDs e as outras 36 que completaram as 60 partituras do fichário que, junto com esse livro, fazem parte do Sambabook. Zeca, que já havia nos presenteado com sua voz em "Do jeito que o rei mandou" no Sambabook João Nogueira e nos surpreendido com sua presença nas gravações do Sambabook Martinho da Vila, reafirmou seu carinho com esse projeto ao prontamente aceitar nosso convite para ser o homenageado da terceira edição. Mais uma vez, tivemos um ambiente de gravação fora de série, com velhos amigos se reencontrando, se divertindo e rememorando antigas histórias. É esse gostinho que esperamos que você experimente em cada um dos produtos do Sambabook.

Como compositor, Zeca sempre esteve bem acompanhado. Foi afiado na escolha das suas parcerias, contando com figuras de alto quilate como Jorge Aragão, Wilson Moreira, Martinho da Vila, Arlindo Cruz, Almir Guineto, Nei Lopes, Sombrinha, Beto Sem Braço, Monarco, Ratinho, Mauro Diniz, Marquinho PQD, entre tantos outros grandes compositores, além de gente mais nova, como o seu afilhado musical Dudu Nobre.

Beth Carvalho, com seu olho clínico, ouvido apurado e faro para descobrir gente boa, não teve a menor dúvida ao ouvir Zeca Pagodinho pela primeira vez: não só quis gravar como convidou o próprio Zeca para dividir com ela a faixa "Camarão que dorme a onda leva". Pagodinho arrebentou logo de cara, estreando em rede nacional em dueto com sua madrinha. Era mais que um presente, era um bilhete premiado. Sorte a nossa! Os anos seguintes mostraram que tinha muito mais coisa boa nessa onda que levava o camarão.

Em nome da Musickeria, que realiza com enorme paixão o projeto Sambabook, agradecemos mais uma vez a todos os artistas e profissionais que participaram desta nova edição. Obrigado aos nossos patrocinadores e parceiros, que continuam nos ajudando a transformar o nosso sonho em realidade. Obrigado ao público, que tem tornado esse projeto não só um sucesso artístico mas também de vendas. E obrigado ao Jessé, poeta do Irajá, de Xerém, da Barra e do Brasil; nosso querido ZECA PAGODINHO, essa grande figura humana, por tudo o que fez e ainda faz pela música brasileira e por todos nós.

Zeca e o Samba são sinônimos. Por isso, quem não gosta de Zeca, bom sujeito não é.

Vida longa ao Sambabook! Vida longa a Zeca Pagodinho!

Afonso Carvalho
Idealizador do projeto Sambabook
e Diretor Artístico da Musickeria

PATOTA DE COSME

ZECA
PAGODINHO
ZECA
pagodinho
UM DOS
POETAS
DO SAMBA

PIXOTE

ECA PAGODINHO
mania da gente
a Pagodinho

ZE
CA
DEIXA
CLAREAR
PAGODINHO

ZECA PAGODINHO

Deixa a vida me leva
ZECA
Pagodinho

ZECA
pagodinho ao vivo
pagZEdeCInho
ÁGUA DA MINHA SEDE

ACÚSTICO
ZECA 2
pagodinho

Zeca Pagodinho
UMA PROVA DE AMOR

Especial
Zeca Pagodinho
UMA PROVA DE AMOR · AO VIVO
ZECA
pagodinho
VIDA
da minha VIDA

Sumário

Para minha filha Isabela (minha Nina) que me impulsiona a encarar novos desafios

Jane Barboza

Para Monarco, ídolo meu e de Zeca Pagodinho

Leonardo Bruno

PREFÁCIO

A primeira vez que vi Zeca foi chegando no Cacique de Ramos, magrinho, com o cavaco dentro de uma sacola de supermercado. Quando ele começou a cantar "Camarão que dorme a onda leva" me conquistou no ato. Falei para ele: "Vou gravar essa música no meu próximo disco e você vai comigo." No dia da gravação ele, que nunca tinha entrado num estúdio, estava nervoso e eu disse: "Zeca, fecha os olhos, finge que você está na roda de samba do Cacique", e ele se soltou. Quem ganhou foi o Brasil.

Grande versador, grande coração, Zeca Pagodinho é a cara do povo brasileiro. Ele é "o cara" e hoje é um dos maiores sucessos da nossa música. E o que acho mais lindo é que ele se mantém fiel às suas origens, com a simplicidade, humildade e humor que sempre teve. Esse meu afilhado me enche de orgulho, pela grande carreira que conquistou e pela pessoa que é. E agora lança esse Sambabook incrível do qual tive a felicidade de participar.

Beth Carvalho

O casamento de seu Jessé e dona Irinéa, os pais de Zeca

NUMA ESTRADA DESSA VIDA

Um livro sobre Zeca Pagodinho, em tese, nem precisaria de título. O próprio nome do sambista já é o resumo perfeito do que ele representa e sua inscrição em letras garrafais em qualquer capa explicaria por si só todo o conteúdo que vem a seguir. O nome "Zeca" traz uma identificação imediata com o público; ele é um homem do povo, um "Zé" como tantos outros. Já o sobrenome "Pagodinho" o faz carregar o samba para todos os lugares, mostrando que ele é o grande símbolo do movimento. "Zeca Pagodinho": o nome parece saído de uma reunião de marketing de gravadora, feito sob medida para representar o artista.

Mas não saiu. Nasceu quase por acaso, como em geral as coisas acontecem na vida dele. Não estava nos planos de Zeca virar cantor, ser artista, ficar famoso... Fazer sucesso, então, nunca passou por sua cabeça. Mas tudo acabou acontecendo e com uma força descomunal. Afinal, Zeca não é simplesmente um cantor; ele é o maior cantor de samba da atualidade. Não é apenas famoso; é difícil encontrar alguém no Brasil que não conheça seu rosto. Ele não apenas fez sucesso; há quase duas décadas se mantém no topo das paradas.

Nascido em 4 de fevereiro de 1959, Jessé Gomes da Silva Filho precisou de pouco mais de 20 anos para se transformar no sambista que ganharia o mundo. Ele era o quarto dos cinco filhos de seu Jessé e dona Irinéa, e veio ao mundo pelas mãos de uma parteira, como convinha à época. A infância foi na Rua Almeida Júnior, em Del Castilho. Mas durante boa parte da juventude era mais fácil encontrá-lo na Rua Marinho Pessoa, em Irajá. Ali morava seu tio-avô, Thybau, patriarca da família e uma das grandes referências do pequeno Jessé. Foi ele quem ajudou a criar a sobrinha Irinéa, mãe de Zeca. E o filho de Thybau, o primo Beto Gago, se tornou um dos primeiros grandes amigos do cantor. Os dois adoravam as rodas musicais que aconteciam na casa, paixão compartilhada pelos familiares: os parentes de Zeca por parte de mãe sempre tiveram uma musicalidade forte, que explica essa herança artística. "O que se leva dessa vida é o que se bebe, o que se come e o que se brinca", costumava dizer Thybau, como conta Luiz Fernando Vianna no livro *Perfis do Rio – Zeca Pagodinho*. A partir dessa frase, fica mais fácil entender a forma como Zeca gosta de levar a vida.

Infelizmente, Thybau não conseguiu acompanhar o sucesso do sobrinho. Ele morreu em 30 de julho de 1986, aos 75 anos, meses depois do lançamento do primeiro disco de Zeca. Mas os ensinamentos e as lembranças do tio continuaram fazendo parte do dia a dia do sambista. Thybau incentivava a veia musical dos meninos e Zeca percorria as serestas, os saraus e os conjuntos regionais que se apresentavam em Irajá. Nessa época, ouvia Jorge Veiga, Cyro Monteiro e Francisco Alves. Nos domingos do Irajá, regados a comida farta, quando Thybau pegava o violão e começava a tocar (acompanhado pela voz das tias), o menino ficava hipnotizado. Certo dia, ao mexer no instrumento, foi repreendido pela mãe: "Criança não encosta no violão de adulto."

Dona Irinéa ralhou com o filho, mas em seguida o presenteou com um violão, porque sentia que ali havia uma paixão verdadeira.

O problema era que Zeca não tinha quem o ensinasse a tocar para valer e ficava arranhando uns sons a partir das revistinhas de cifras que comprava na banca de jornal. Quando o menino tinha apenas 14 anos, seu pai recebeu um pedido inusitado: os seresteiros do bairro queriam que seu Jessé liberasse o garoto para acompanhá-los em algumas serestas, tocando pandeiro.

Nesse mesmo período, fez sua estreia no bloco Bohêmios de Irajá. No carnaval de 1971, Beto Gago e alguns amigos criaram a Ala do Pagodinho e, logo no ano seguinte, Zeca estaria entre eles. O rapaz era uma espécie de mascote do grupo, mas com uma função importante: cuidar dos instrumentos da rapaziada. Como trocava qualquer aula por uma boa música, adepto dos que entregam a sorte à escola da vida, Zeca abandonou os estudos na 4ª série do primário, quando frequentava o colégio municipal Manoel Bonfim. Mas a arte ainda não enchia barriga, então teve vários empregos para sobreviver, como feirante, camelô, contínuo e apontador do jogo do bicho, entre outros.

Porém seu prazer era mesmo a música – e, conforme foi crescendo, os pagodes começaram a tomar o lugar das serestas em sua agenda. Zeca fez vários amigos no samba e sua rotina passou a ser pular de roda em roda, seja em seu Fusquinha velho, na Brasília de Arlindo Cruz, no Passat de Almir Guineto ou nos ônibus da cidade. Era comum encontrar o sambista e seus parceiros no Pagofone, no Pagode da Tia Doca, no Urubu Cheiroso, no Pagode da Beira do Rio ou em qualquer lugar onde dois ou três se reunissem para batucar.

O mais emblemático de todos estes locais, sem dúvida, foi o Cacique de Ramos. Aquele terreiro da Rua Uranos 1.326 parece protegido por forças divinas. E realmente é, se ouvirmos a história do local nas palavras de Bira Presidente, fundador do bloco. A tamarineira que adorna o terreno recebeu um patuá abençoado por Mãe Conceição, o que tornou o espaço dotado de uma religiosidade permanente. E era debaixo dos galhos dessa árvore que se encontrava uma seleção

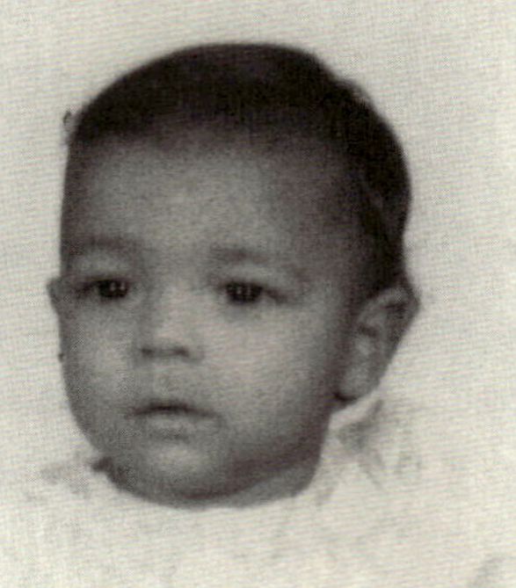

Santinho do primeiro aniversário de Zeca

do samba, nas quartas-feiras do final dos anos 70 e começo dos 80 – um timaço que ditaria os rumos do gênero nas décadas seguintes.

Foi ali que o rapaz Jessé começou a desenvolver um de seus grandes dons: o de versar. Ao lado de companheiros tão talentosos, deu vazão a seu lado compositor, que já se manifestava desde que fazia versinhos isolados, nos tempos de criança. A facilidade de Zeca com as palavras vinha de seu apreço pela leitura. Apesar de ser muito agitado, ele sempre gostou de ler. Entre seus livros preferidos estão *O Conde de Monte Cristo* (Alexandre Dumas), *O Homem que Calculava* (Malba Tahan) e *A História sem Fim* (Michael Ende). O sambista conta que, quando era mais novo, tinha mais tempo para ler: "Hoje me dão livros, mas não me dão tempo", brinca.

Nessa época em que tinha tempo, começou a rabiscar algumas composições. E, quando a brincadeira de fazer versos virou coisa séria, precisou criar um nome artístico. Afinal, era preciso assinar suas duas primeiras músicas gravadas no ano de 1981: "Amarguras", parceria com Cláudio Camunguelo, entrou no disco do Fundo de Quintal; e "Dez mandamentos", dele e de Arlindo Cruz, foi gravada por Walmir Lima. Zeca mostrou três opções de assinatura para o amigo Camunguelo: Jessé Silva, Zeca Silva ou Ceca Silva ("Ceca" era seu apelido na família). O parceiro, claro, não ficou muito animado. Até que resolveram pegar um ônibus do Irajá para Del Castilho, onde tinham muitos amigos – alguns até desfilavam na Ala do Pagodinho, dos Bohêmios de Irajá. Ao descerem do ônibus, um amigo disse: "Fala, Pagodinho". E Camunguelo falou: "Olha o nome aí, vai ser Zeca Pagodinho!" – num batismo que não teve água benta, mas parece ter sido ungido com uma proteção superior.

Dois anos depois, em 1983, veio a primeira prova de fogo. O ano já teria sido especial por vários motivos. Afinal, Alcione abriu o disco *Almas e Corações* com uma parceria de Zeca e Jorge Aragão, "Mutirão de amor". Já os Originais do Samba incluíram "Depois do temporal" (de Zeca e Sem Braço) no LP *Canta, Meu Povo, Canta*. Além disso,

Beth Carvalho tinha escolhido "Jiló com pimenta" para seu álbum *Suor no Rosto*. Mas foi outra música gravada por Beth que catapultou Zeca ao estrelato. Ela colocou "Camarão que dorme a onda leva" (uma parceria com Sem Braço e Arlindo) no repertório e fez mais: convidou o novato para participar do disco. A música virou clipe no *Fantástico*, da TV Globo, e a imagem de Zeca cantando e tocando cavaquinho correu o Brasil.

Naquele momento, Beth se tornou a madrinha musical de Zeca, adquirindo importância fundamental na carreira dele – como tem na de tantos outros sambistas. A Madrinha do Samba, como é conhecida, era frequentadora assídua das rodas do Cacique de Ramos e de lá projetou diversos nomes para a fama. Para aquela turma de compositores, era um mundo novo, como Beth pôde perceber no dia em que Zeca chegou ao estúdio para gravar "Camarão que dorme a onda leva". Quando pôs o fone no ouvido, para colocar voz na faixa, Zeca teve uma sensação diferente: "Ali eu me senti artista. Foi quando botei o fone no estúdio com a Beth Carvalho."[1]

Essa música começou a tomar forma quando Beto Sem Braço entregou uma fita com a primeira parte para Zeca Pagodinho, que ouviu e gostou:

Não pense que meu coração é de papel
Não brinque com o meu interior
Camarão que dorme a onda leva
Hoje é dia da caça, e amanhã do caçador

Zeca então escreveu duas estruturas de versos para a segunda parte:

Não quero que o nosso amor acabe assim
Um coração quando ama é sempre amigo
Só não faça gato e sapato de mim
Pois aquele que dá pão também dá castigo

---

1. O que vi da vida. "Fantástico". TV Globo, Rio de Janeiro, 7 de agosto de 2011 (programa de TV).

Não veja meu sentimento com desdém
Enquanto o bem existir o mal tem cura
A pedra é muito forte mas tem um porém, meu bem
A água tanto bate até que fura

Mas Zeca colocou a mesma melodia que Sem Braço havia usado no trecho inicial. Ao mostrar a música para Arlindo Cruz, o amigo falou: "Ah, não... Vamos fazer um desenho melódico diferente aí..." E Arlindo criou a melodia da segunda parte, entrando na parceria. "Então a Beth Carvalho gravou e nunca mais eu tive paz na minha vida", brinca Zeca.

A Madrinha ainda foi responsável pela estreia do cantor em cima de um palco. Ele foi ao show de lançamento do disco *Suor no Rosto*, no Asa Branca, mas não sabia que, em determinado momento, seria chamado para cantar. Quando Beth anunciou seu nome, foi empurrado para o palco e se viu pela primeira vez diante do público. Apesar do susto, Zeca mandou bem e saiu com a sensação de dever cumprido. Só não imaginava que, minutos depois, ia quebrar o pau com a namorada, que era ciumenta demais e não segurou a onda. Resultado: deu polícia, o casal foi levado para a delegacia e acabou solto com a intervenção providencial dos integrantes do Fundo de Quintal. "Que noite gloriosa, do palco do Asa Branca para o xadrez da 5ª DP!"[2], lembra Zeca.

Apesar dos contratempos, a fase era ótima: Zeca era reconhecido como um bom autor de sambas e ainda ganhava dinheiro com os direitos autorais. O que mais poderia esperar da vida? Ele começou, então, a construir sua fama nas rodas de samba do subúrbio, com um show aqui, outro acolá. Em 1985, Leci Brandão lançou a famosa música "Isso é fundo de quintal", uma espécie de símbolo daquela geração de pagodeiros. O mais curioso é que Zeca já se fez representar na letra por suas habilidades como versador:

2. GAVIN, Charles. "O som do vinil". Canal Brasil, Rio de Janeiro, 18 de agosto de 2011 (programa de TV).

E lá vem o Sombrinha fazendo harmonia com seu cavaquinho
Vai versar um partido com um cara chamado Zeca Pagodinho
O que é isso, meu amor, venha me dizer
Isso é fundo de quintal, é pagode pra valer

Na letra, são citados os integrantes do grupo Fundo de Quintal (Bira Presidente, Ubirany, Sereno, Cléber, Arlindo Cruz e Sombrinha) e as "damas do samba" Ivone Lara, Doca e Vicentina. Zeca Pagodinho era o caçula dessa turma e, em princípio, ainda não tinha cacife para estar ali. Mas os autores da música, Leci e Zé Maurício, parecem ter intuído que em breve ele teria seu lugar entre os grandes.

Como um dos novos nomes do pagode, era natural que Zeca entrasse na lista do produtor Milton Manhães, que ia fazer um disco juntando cinco promessas do gênero, o *Raça Brasileira* (chamado de "pau de sebo", por reunir vários artistas cantando juntos). Lançado em 1985, esse LP colocou no mercado nomes como Jovelina Pérola Negra, Pedrinho da Flor, Elaine Machado e Mauro Diniz, além de Zeca Pagodinho, que foi o grande destaque do projeto, assinando metade das canções do disco e com a voz em cinco faixas.

Uma delas foi "Bagaço da laranja", uma das primeiras músicas feitas pela dupla Zeca-Arlindo. Arlindo estava de mudança e pediu ajuda ao amigo para carregar os móveis. Eles tentaram fazer tudo rápido para voltar a tempo de pegar uma feijoada na casa da mãe de Arlindo, no Morro do Fubá, em Cascadura. Mas, quando chegaram na porta, viram vários sacos de lixo e, em cima, muita casca de laranja. Zeca brincou: "Ih, só sobrou o bagaço da laranja..." Os dois caíram na risada e começaram a versar. Depois, Jovelina Pérola Negra também colocou alguns versos e entrou na parceria. Estava pronto o maior sucesso do *Raça Brasileira*.

Fui no pagode
Acabou a comida
Acabou a bebida
Acabou a canja
Sobrou pra mim
O bagaço da laranja
Sobrou pra mim
O bagaço da laranja

Zeca também estourou com outras duas músicas: "Garrafeiro" e "Leilão". Um dos responsáveis pelo sucesso do disco foi a Rádio Tropical, que funcionava no Rio com a frequência 104,5 FM. O dono da emissora, Armando Campos, foi um dos primeiros a perceber o "boom" do pagode e começou a tocar os sambistas que vinham surgindo. E não era só isso: a rádio também divulgava a programação das rodas de samba, ajudando a movimentar os pagodes do subúrbio numa época em que ainda não tinham a atenção da grande mídia.

Os pagodeiros cariocas também começaram a entrar em São Paulo, onde tiveram a ajuda de outro "anjo da guarda". Seu Orlando, dono de uma loja de tintas e apaixonado por samba, fazia a ligação dos paulistas com os sambistas do Rio. Ele divulgava o pagode por lá, intermediava shows e até cedia sua casa para que a turma ficasse hospedada.

Foi nesse período, em 1985, que um jornal paulista citou Zeca Pagodinho como sucessor de Noel Rosa. A comparação tocou fundo no coração do sambista – e ele guardou por muito tempo o recorte com esta reportagem. A partir daí, frequentemente faziam um paralelo entre Zeca e o poeta da Vila. E as semelhanças eram realmente perceptíveis, até mesmo fisicamente – os dois eram magrinhos, boêmios, fumantes inveterados e brancos num ambiente com maioria negra. Musicalmente, eram garotos da cidade que subiam a favela, fazendo a ponte entre o morro e o asfalto. E as primeiras canções de Zeca já demonstravam que, assim como Noel, ele era um cronista do cotidiano.

Com as gravações e os shows que fazia pela cidade, outra característica marcante do sambista começava a ganhar notoriedade: sua divisão musical peculiar ao cantar. Zeca até hoje é conhecido por pontuar as notas das músicas de um jeito totalmente particular, sem paralelos na MPB. Ele próprio conta que admirava a divisão marcada de Miltinho, mas quando criou seu estilo acabou inventando algo completamente novo. O músico e pesquisador Henrique Cazes faz uma analogia interessante sobre essa forma de cantar[3]: parece que Zeca larga a música, dá um gole na cerveja e um trago no cigarro e volta para buscar a melodia lá na frente.

Um ano depois do *Raça Brasileira*, a gravadora RGE deu carta branca ao produtor Milton Manhães para produzir os discos individuais de cada um dos cinco cantores do pau de sebo. O escolhido para ser o primeiro a gravar, até pela fama que já tinha nos pagodes, foi Zeca Pagodinho. Ele não chamou, mas o sucesso estava batendo à sua porta.

3. GAVIN, Charles. "O som do vinil". Canal Brasil, Rio de Janeiro, 18 de agosto de 2011 (programa de TV).

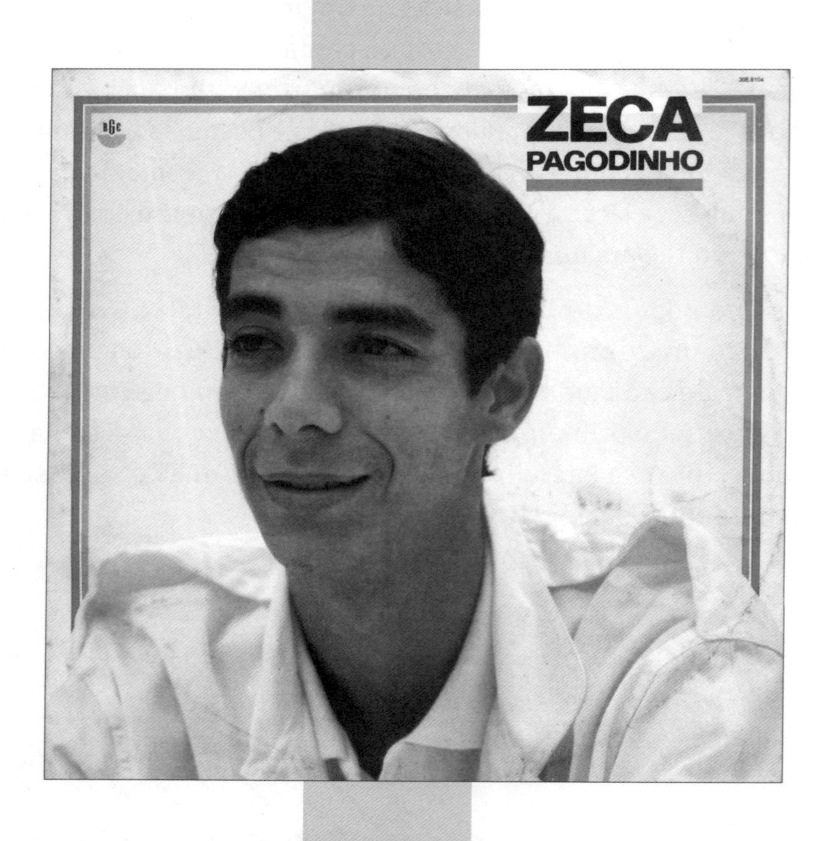
306.8104
ZECA
PAGODINHO

1º CAPÍTULO

ZECA PAGODINHO (1986)

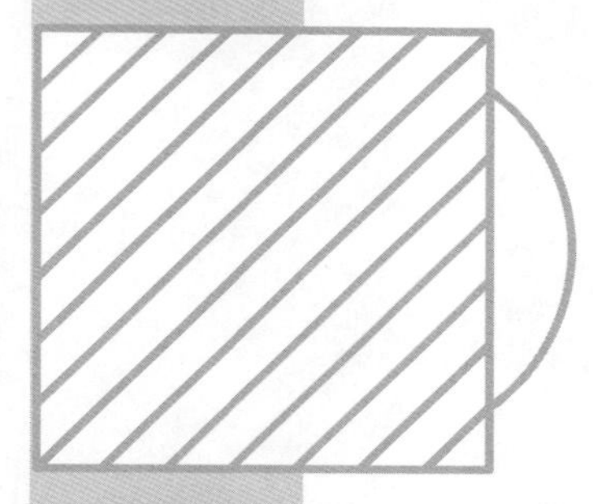

DISCO 1

ZECA PAGODINHO (1986)
Gravadora: RGE
Produção: Milton Manhães
Fotos: Oskar Sjostedt
Programação visual: Wilson Santos

1. **SPC**
   (Zeca Pagodinho / Arlindo Cruz)
2. **CORAÇÃO EM DESALINHO**
   (Diniz / Ratinho)
3. **JOGO DE CAIPIRA**
   (Nei Lopes / Sereno)
4. **SE EU FOR FALAR DE TRISTEZA**
   (Zeca Pagodinho / Beto Gago)
5. **QUANDO EU CONTAR (IAIÁ)**
   (Serginho Meriti / Beto Sem Braço)
6. **CHEIRO DE SAUDADE**
   (Sereno / Mauro Diniz)
   Participação especial: Ana Clara
7. **HEI DE GUARDAR TEU NOME**
   (Arlindo Cruz / Adilson Victor)
   VOU LHE DEIXAR NO SERENO
   (Beto Sem Braço / Jorginho Saberás)
   MACUMBA DA NÊGA
   (domínio público)
   Participação especial: Deni
8. **CASAL SEM VERGONHA**
   (Acyr Marques / Arlindo Cruz)
9. **QUINTAL DO CÉU**
   (Wilson Moreira / Jorge Aragão)
10. **CIDADE DO PÉ JUNTO**
    (Zeca Pagodinho / Beto Sem Braço)
11. **JUDIA DE MIM**
    (Wilson Moreira / Zeca Pagodinho)
12. **BRINCADEIRA TEM HORA**
    (Beto Sem Braço / Zeca Pagodinho)

Com seu primeiro Disco de Ouro

ZECA PAGODINHO (1986)

Quem acha que Zeca Pagodinho só foi fazer sucesso depois de gravar "Verdade" ou "Deixa a vida me levar" não estava no Clube Helênico na noite do dia 30 de abril de 1986. Ali aconteceria o show de lançamento de seu primeiro disco solo. A multidão que se acumulava na Rua Itapiru 1.305, no Rio Comprido, Zona Norte do Rio, surpreendeu até mesmo os organizadores. O trânsito teve que ser desviado, havia medo de que o público derrubasse os portões do clube, eram "umas 10 pessoas por centímetro", segundo o próprio Zeca. No palco, a farra continuava: muita gente subindo, um cantando atrás do outro, confusão geral. Ainda bem que no dia seguinte era o Feriado do Trabalhador e ninguém tinha hora para acordar – a estrela da noite, Zeca Pagodinho, só foi cair na cama às nove horas da manhã, na casa da mãe, em Del Castilho.

Esse foi o primeiro momento de consagração na carreira do sambista. A boa fase já vinha se desenhando desde que o disco chegou às lojas. Contratado da RGE, Zeca surpreendeu a própria gravadora ao entrar na lista dos mais vendidos nas primeiras semanas e bater em vendas outros medalhões, como Roberto Carlos e Julio Iglesias. Além do sucesso de público, ainda alcançou unanimidade na crítica. O LP entrou, por exemplo, na lista de "dez mais" do ano, feita pelo crítico do *Jornal do Brasil*, Tárik de Souza[4]. O jornalista e pesquisador Sérgio Cabral escreveu em *O Globo*[5] que "Zeca Pagodinho tem mais talento do que todo o rock brasileiro, se fosse possível amontoar todos os seus compositores, uns em cima dos outros".

A aprovação desse disco tem muito a ver com sua qualidade musical. Ele é considerado um dos melhores álbuns de toda a carreira do artista e traz alguns de seus maiores sucessos, muitos no repertório até hoje, como "Judia de mim", "Brincadeira tem hora", "SPC", "Coração em desalinho", "Quando eu contar (Iaiá)" e "Casal sem vergonha". Foi um daqueles raros discos, de qualquer gênero, que conseguiu tocar todas as músicas na rádio. "É um disco de total liberdade. Se a música era boa, entrava. Hoje é preciso ter mais cuidado, se preocupar com o que vai ser o *hit*. No primeiro disco, ninguém se preocupou e tivemos 12 *hits*!"[6], relembra Zeca.

Dentre os sucessos, um dos maiores foi "SPC", não à toa a música de abertura do disco. A letra remete à época das vacas magras, quando Zeca já vivia da arte, mas ainda não tinha uma situação confortável. Para parcelar a dívida numa loja, pediu à namorada da época que fizesse o crediário, já que só ela tinha carteira assinada. Numa briga entre os dois, ele ameaçou deixar de pagar as contas, o que levaria o nome da coitada para o Serviço de Proteção ao Crédito (SPC). Pronto, já tinha tema para compor.

A história foi compartilhada com o grande amigo Arlindo Cruz, com quem divide a autoria de "SPC". É sintomático que a música

4. SOUZA, Tárik de. "Deu pagode na cabeça – Os dez melhores". *Jornal do Brasil*, Rio de Janeiro, Caderno B, página 8, 28 de dezembro de 1986.

5. CABRAL, Sérgio. "O lindo samba do Fundo de Quintal". *O Globo*, Rio de Janeiro, Caderno Leopoldina, página 9, 4 de fevereiro de 1986.

6. GAVIN, Charles. "O som do vinil". Canal Brasil, Rio de Janeiro, 18 de agosto de 2011 (programa de TV).

que abre o primeiro disco de Zeca seja em parceria com Arlindo, que esteve em todos os passos iniciais de sua carreira: como parceiro em "Dez mandamentos" e "Camarão que dorme a onda leva"; como músico nos discos *Raça Brasileira* e neste *Zeca Pagodinho*.

A amizade dos dois começou muito antes da fama, no início dos anos 80, e sobrevive há mais de 30 anos. Os deuses da música, aliás, deveriam acender uma vela diariamente para Cláudio Camunguelo, que apresentou a dupla. Além da bonita amizade, ali surgiu uma parceria musical que renderia muitos frutos para nosso cancioneiro popular. Zeca e Arlindo se esbarraram pela primeira vez no escritório de seu Aldir, um senhor que trabalhava com produtos eletrônicos importados e era um dos poucos na cidade que tinha um gravador na época. Diversos compositores iam até lá para registrar as músicas e mandá-las para os cantores. Foi numa dessas visitas que os dois foram apresentados e nunca mais se desgrudaram – na mesma noite já foram direto para o Cacique de Ramos.

Nas andanças pelos pagodes da cidade, era comum Zeca pegar a Brasília vermelha de Arlindo para buscá-lo no trabalho, na Caixa Econômica Federal da Penha. Como isso acontecia com frequência, Arlindo tinha que ouvir piadas do segurança da agência: "Teu namorado chegou aí." E lá iam os dois desbravar novas esquinas, sacolejando dentro do carro, beijando muito meio-fio pelo caminho – nenhum dos dois é muito bom ao volante. Não raro, chegavam em casa já de manhã. "Cansados, mas felizes", define Arlindo: "A gente tinha uma liberdade, uma alegria de ficar pela rua fazendo samba, um sacaneando o outro, brincando. Era uma época muito boa."

Desde então, mesmo com a vida dos dois tendo mudado tanto, eles mantêm os laços. Certa vez, Arlindo se referiu a Zeca numa entrevista para a TV como "meu parceiro". Depois, ao encontrá-lo, teve que ouvir uma reclamação: "Parceiro?!? Eu não sou teu parceiro!! Sou teu amigo, teu compadre..."

Em 1986, a proximidade entre eles já era grande. Arlindo Cruz, uma das estrelas do Fundo de Quintal, à época, foi quem escreveu os dizeres da contracapa do primeiro disco de Zeca:

> *Amigo Zeca, ao saber de sua contratação pela RGE, vibrei! E lembrei de quando nos conhecemos, através de Cláudio Santos Camunguelo, na quadra do Cacique de Ramos, iniciando assim uma parceria que cresce a cada momento, e se tornou nesta nossa grande amizade. Lembrei também de "Dez mandamentos", nossa primeira música gravada, e de muitos outros pagodes. Lembrei, enfim, de sua trajetória, sempre fiel ao samba, e cheguei à conclusão de que esta é a hora.*
>
> *É a hora em que as gravadoras estão investindo no samba. É a hora de você, Zeca, com seu sangue novo, sua garra, também fazer e segurar o seu sucesso.*
>
> *Vá em frente, parceiro!*
>
> *Mil felicidades!*
>
> *Arlindo Cruz*

As palavras emocionadas traduzem a importância daquele momento para os sambistas. O pagode carioca já vinha mostrando sua força, com Almir Guineto, Jorge Aragão e Fundo de Quintal gravando e fazendo sucesso. O disco *Raça Brasileira* tinha superado todas as expectativas, trazendo para a cena novos nomes do movimento. Mas a entrada de Zeca numa gravadora como a RGE consolidava o gênero, abrindo perspectivas ainda melhores para quem vinha atrás, surfando nessa onda.

Porém, a carta não foi escrita para ser publicada. Arlindo rabiscou estas linhas, comovido, apenas para festejar o amigo e entregou em suas mãos. Zeca ficou feliz com os dizeres e mostrou ao produtor do disco, Milton Manhães, que teve a ideia de colocá-los na contracapa do disco. Pronto, a amizade entre os dois estava eternizada, estampada num LP que chegou a quase um milhão de vitrolas país afora.

Se a primeira música desse disco foi emblemática, a segunda não fica atrás. "Coração em desalinho", de Monarco e Ratinho, se mantém por mais de três décadas como um dos momentos de maior euforia dos shows de Zeca. Mas a canção quase foi parar no repertório de Martinho da Vila. Certo dia, o produtor Milton Manhães foi ao BANERJ da Rua México, no Centro, que era uma espécie de "banco dos sambistas". A responsável por isso era Marildinha, a gerente que demonstrava seu amor ao samba através da generosidade com que socorria os compositores nos momentos de aperto, com empréstimos e adiantamentos. Manhães encontrou Monarco e perguntou se ele tinha algo guardado, já que estava gravando o disco do "garoto". O portelense respondeu que tinha uma música na cabeça, mas que estava prometida para Martinho da Vila. Quando Manhães ouviu "Coração em desalinho" ficou apaixonado e pediu a canção. No dia seguinte, Monarco já estava no estúdio ajudando a tirar o tom para a gravação de Zeca.

"Coração em desalinho", uma história de um amor mal resolvido, nasceu como samba-enredo, feito por Monarco para a Unidos do Jacarezinho, no carnaval de 1981. O desfile era sobre Paulo da Portela, um dos maiores sambistas de todos os tempos, fundador da azul e branco de Madureira, que teve grande papel na aceitação do samba no início do século passado. A letra começava assim (a melodia era exatamente a mesma):

Casamento de Zeca e Mônica

Nossa escola vem cantando
Com ternura e emoção
Homenageando um bamba
Que fez do samba
Sua oração

Nas vésperas da disputa na quadra do Jacarezinho, Monarco achou que havia outro samba melhor que o seu e resolveu tirar sua composição do páreo, em prol dos adversários. Mas a música não saiu de sua cabeça e anos depois colocou outra letra naquela melodia:

Numa estrada dessa vida
Eu te conheci, ó flor
Vinhas tão desiludida
Malsucedida
Por um falso amor

Fez a primeira parte e mostrou para Alcino Corrêa, o Ratinho, que emendou com a segunda:

Tamanha desilusão
Me deste, ó flor
Me enganei redondamente
Pensando em te fazer um bem
Eu me apaixonei
Foi meu mal

Monarco, claro, estranhou uma segunda parte inteira sem uma rima sequer... Mas quando Ratinho trouxe a continuação, com o momento de maior explosão da música, não teve dúvidas, tinha tudo para ser sucesso.

Agora, uma enorme paixão me devora
Alegria partiu, foi embora
Não sei viver sem teu amor
Sozinho curto a minha dor

Zeca é que não ficou muito feliz quando Manhães apresentou-lhe a "Coração em desalinho". Ele queria que Monarco entrasse no disco com músicas "da Velha Guarda", as canções antigas que o compositor portelense costuma resgatar. Mas o produtor insistiu, ela foi gravada e o resto virou história.

O curioso é que a música, no LP original, não é creditada a Monarco, e sim a Mauro Diniz (filho do poeta portelense), em parceria com Ratinho. Foi uma jogada na época, já que Monarco estava com uma conta muito alta na editora, com dificuldade para receber todos os direitos autorais. Ele então colocou o nome do filho, que repassava ao pai o que era arrecadado.

O processo de gravação desse disco foi tranquilo, apesar da conhecida afeição de Zeca pela vida boêmia. Logo no primeiro dia, o cantor foi de um pagode direto para o estúdio, se atrasando 40 minutos. Para evitar maiores problemas, Manhães adotou uma estratégia inteligente: durante aquela temporada hospedou Zeca em sua casa. Na hora de ir trabalhar, o colocava no carro e iam juntos para o estúdio. Mas a tática nem sempre funcionou. Num dia em que não dormiu na casa do produtor, Zeca chegou direto da praia, descamisado e com uma toalha na mão. Teve que pegar a camisa emprestada com um segurança para poder entrar no local... Na gravação, boa parte das vozes-guia do disco foi feita por Arlindo Cruz. Mas, na hora do "valendo", Zeca era rápido – e competente. Num só dia, chegou a gravar oito vozes finais desse disco, que tinha 12 faixas.

O ambiente era uma grande farra, com compositores chegando, músicos bebendo e até quem não tinha nada a ver com a gravação era convidado a dar um pulo lá. Nos créditos do disco, dois agradecimentos chamam a atenção, mostrando o clima que predominou durante todo o processo: "FORÇA NOS TRABALHOS: Tendinha da Dona Maria e Irene Telefonista."

A telefonista dava uma força para a rapaziada chamar os amigos e entrar em contato com a família. Já a tendinha da Dona Maria era a lanchonete onde a turma se reunia para beber e jogar conversa fora. Esse clima do estúdio reproduzia um pouco o dia a dia que Zeca levava: os amigos estavam sempre por perto, reunidos, torcendo para tudo dar certo. No dia 9 de agosto de 1986, novamente houve uma reunião da rapaziada. Mas o motivo era outro e o clima não era de festa, mas de apreensão. Pela primeira vez, Zeca Pagodinho daria uma grande entrevista para a TV. E havia o medo de o amigo "dar mole" no ar ou não ser bem tratado pelo "pessoal da televisão". Naquela época, havia uma desconfiança da turma do samba com o *mainstream*. Afinal, eram os roqueiros e a MPB que sempre tinham os melhores tratamentos nas casas de shows ou nos bastidores dos programas. Na entrevista para Leda Nagle, do *Jornal Hoje*, da TV Globo, o que todo mundo queria conferir era se Zeca Pagodinho não seria "maltratado". Mas não aconteceu nada disso. Ele se saiu bem e a reunião em volta da TV terminou num grande pagode.

O nervosismo dos amigos era o mesmo de Zeca ao chegar aos estúdios da Globo no Jardim Botânico – vindo direto de um samba, claro. A entrevista, que iria ao ar no sábado, foi feita durante a semana. Mas o cantor foi avisado de que era quase um "ao vivo". Sem muita edição, o bate-papo do *Jornal Hoje* gostava de manter a espontaneidade da conversa. Foi a senha para que ele ficasse mais tenso ainda. Pouco antes do "gravando", pediu para ir ao banheiro. "Ele estava tímido, visivelmente nervoso", relembra Leda Nagle. "Mas é impressionante como, com o tempo, foi perdendo a timidez. Hoje minhas entrevistas com o Zeca são uma festa." Já o sambista tem outra lembrança desse dia: "Eu estava virado, sem dormir e com um mau humor do cacete..."

A entrevista começou de um jeito que ilustra bem o início da carreira de todo artista. Leda Nagle abriu a conversa com o seguinte texto: "Só pelo nome, eu duvido que vocês reconheçam quem é o meu entrevistado de hoje. Mas vamos tentar: Jessé Gomes da Silva Filho. E aí, mataram? Não, né? Eu vou dar logo a resposta: é o Zeca Pagodinho. Atualmente o maior sucesso em venda de discos no Rio e um dos grandes nomes no mundo dos shows de samba. Já vendeu até agora 200 mil discos em 45 dias." E é aí que aparece Zeca, vestindo uma camisa amarela com decote em "V", cheio de cordões de prata, calça dobrada, meia branca aparecendo e tênis vermelho. Cabisbaixo, respondendo à maioria das perguntas olhando para o chão, não escondeu o desconforto na posição de entrevistado. O motivo ficou claro logo na primeira resposta:

- Você esperava esse sucesso?

- Não esperava nada disso. Nem estar aqui na TV eu esperava.

Se a apresentação de Leda Nagle mostrou que Zeca ainda não era conhecido no resto do Brasil, uma reportagem em *O Globo* apenas cinco meses depois já o identificava como "um dos mais famosos pagodeiros do país"[7]. Foi um sucesso vertiginoso, que tomou proporções avassaladoras com a extensa temporada que estreou em agosto no Asa Branca, casa de espetáculos popular do Rio, juntando Zeca, Almir Guineto, Jovelina Pérola Negra e os grupos Fundo de Quintal e Samba Som Sete. Era a consolidação do pagode no gosto do povo – e a elevação de Zeca Pagodinho a principal nome desse movimento.

O preço a ser pago foi sentido imediatamente pelo cantor. Em setembro, já reclamava da fama numa reportagem de *O Globo*[8], avi-

---

7. "Zeca Pagodinho, um eterno fã do samba e da alegria". *O Globo*, Rio de Janeiro, Caderno Madureira, página 13, 16 de janeiro de 1987.

8. FALCÃO, Flávio. "Fama já perturba Zeca Pagodinho". *O Globo*, Rio de Janeiro, Caderno Méier, página 13, 17 de setembro de 1986.

sando que não dormia mais em casa nem atendia telefone devido ao assédio (o refúgio era na casa da então noiva, Mônica). "É muita gente. Todo mundo quer falar ao mesmo tempo e tem outros que se aproveitam até para tentar me punguear", disse. Certa vez, apareceu de madrugada na casa de Milton Manhães, incomodado com a vida que estava sendo obrigado a levar. "Quero largar tudo. Vou voltar pro jogo do bicho", desabafou. Mas o produtor conseguiu acalmá-lo e a interrupção precoce da carreira não se consumou.

A quantidade de shows se avolumava e com isso vinham os problemas. Zeca chegou a "perder" alguns compromissos. A fama foi se espalhando e às vezes o público só entrava na casa de shows ao ter certeza de que o artista tinha chegado. Mas nem tudo era fruto de indisciplina. Alguns "espertinhos" colocavam faixas anunciando shows de Zeca Pagodinho sem ter assinado contrato algum. E a ausência ia para a conta do sambista. Certa noite, em Niterói, o lugar tinha uma estrutura tão ruim e o dinheiro pago foi tão abaixo do combinado que Zeca se revoltou: subiu no palco, avisou que estava indo embora e jogou para a plateia as poucas notas que havia recebido. Com tantos shows na agenda e tamanho sucesso, Zeca era o novo astro da música, embora rejeitasse o rótulo ("Astro não usa sandália Havaiana nem chupa picolé"[9]).

E quando parecia que nada melhor podia acontecer ao sambista naquele ano de 1986, veio o mês de dezembro. E, com ele, dois acontecimentos que entrariam para o rol dos grandes momentos de sua vida. Em 8 de dezembro, se casou com Mônica. E, no fim do ano, participou do especial de Natal do rei Roberto Carlos. O resumo da boa fase veio numa frase inspirada de Zeca, à época: "O disco está abrindo caminho para minha mensagem ir mais longe e garantindo o retorno de capital, para o bem-estar de um boêmio inveterado."[10]

---

9. APOLINÁRIO, Sônia. "Pagodes – O trem segue direto para o sucesso". *O Globo*, Rio de Janeiro, Segundo Caderno, página 1, 5 de dezembro de 1986.

10. BARDANACHVILI, Eliane. "O estouro do pagode no palco do Asa Branca". *O Globo*, Rio de Janeiro, Segundo Caderno, página 1, 5 de agosto de 1986.

ZECA PAGODINHO
PATOTA DE COSME

2º CAPÍTULO

PATOTA DE COSME (1987)

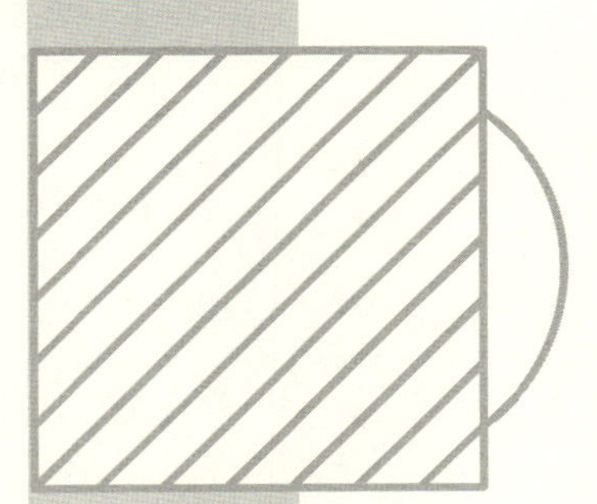

DISCO 2

PATOTA DE COSME (1987)
Gravadora: RGE
Produção: Milton Manhães
Capa: Oskar Sjostedt, Lucia Gomes Tavares, Oskar Augusto, Alexandra, Alexandre Machado e Felipe Iglesias

1. **PATOTA DE COSME**
(Nilson Santos / Carlos Sena)
Participação especial: Luís Carlos de Pilares
2. **SEM ENDEREÇO**
(Arlindo Cruz / Luiz Carlos da Vila)
Participação especial: Arlindo Cruz
3. **FERISTES UM CORAÇÃO**
(Monarco / Ratinho)
4. **TEMPO DE DON DON**
(Nei Lopes)
5. **GOTA DE ESPERANÇA**
(Nelson Rufino / Orlando Rangel)
6. **TERMINA AQUI**
(Arlindo Cruz / Zeca Pagodinho / Ratinho)
7. **QUE MULHER**
(Chatim)
MULHER INGRATA
(Chatim)
PARA O BEM DO NOSSO BEM
(Alvaiade)
Participação especial: Mauro Diniz
8. **MENOR ABANDONADO**
(Pedrinho da Flor / Mauro Diniz / Zeca Pagodinho)
9. **BISNAGA**
(Arlindo Cruz / Beto Sem Braço)
10. **TESTEMUNHA OCULAR**
(Jorge Aragão / Zeca Pagodinho)
11. **MANEIRAS**
(Sylvio da Silva)
12. **COLHER DE PAU**
(Beto Sem Braço / Zeca Pagodinho)

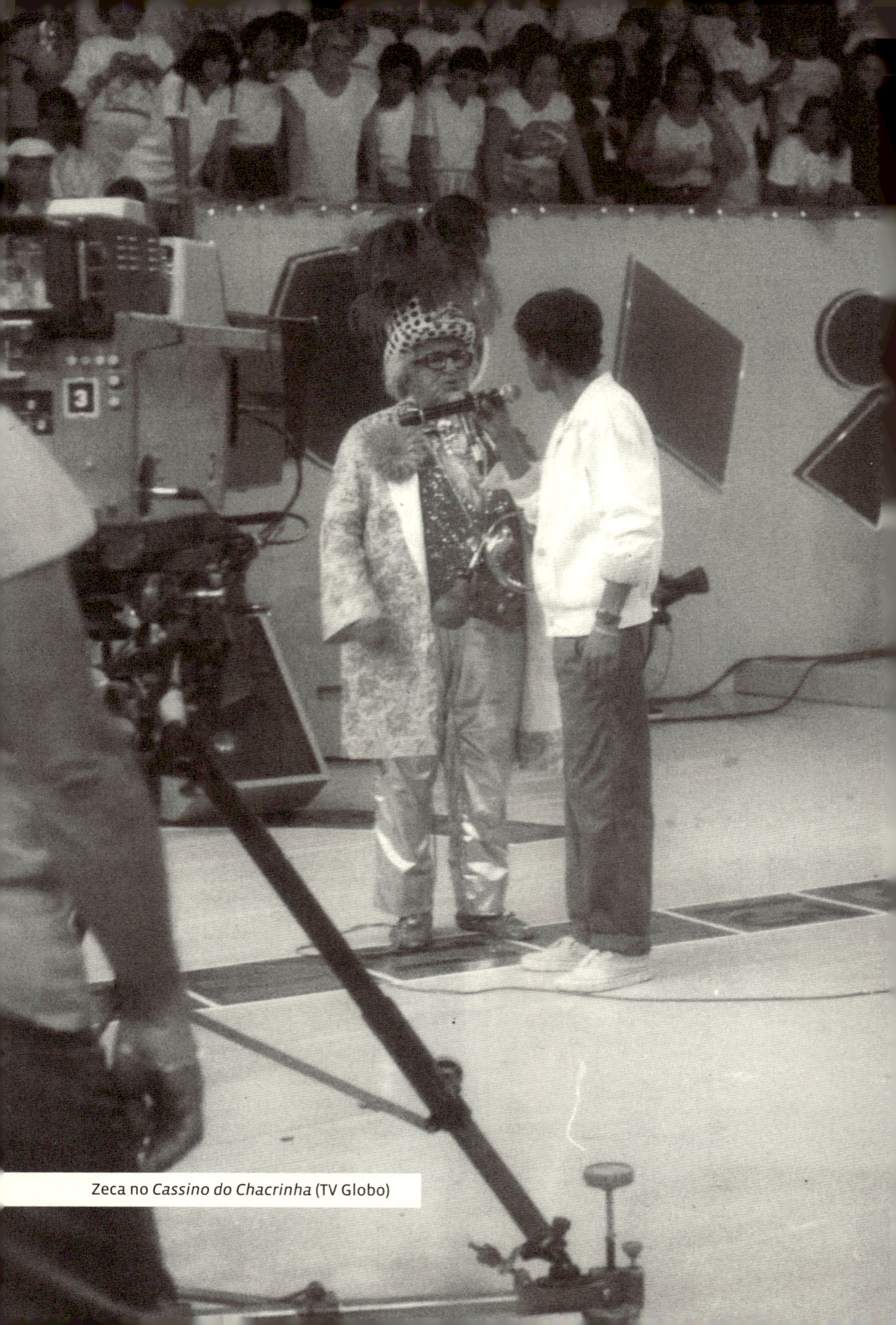

Zeca no *Cassino do Chacrinha* (TV Globo)

PATOTA DE COSME (1987)

Zeca Pagodinho foi uma criança diferente das outras. Enturmado, era querido pelos colegas, mas não vivia o tempo todo nas brincadeiras da infância. Muitas vezes, enquanto os amigos jogavam bola de gude ou soltavam pipa, ele estava acompanhando as serestas da família ou ouvindo um disco de Pixinguinha na vitrola. É por isso que Zeca é da opinião de que ninguém vira artista ao crescer: "Quando a gente é criança, já é artista. Eu não virei artista quando adulto, só fiz sucesso. Minhas atitudes, meu pensamento, meu coração já eram de artista. Eu já escrevia, fazia versinho quando era pequeno. Eu vivia um universo que as outras crianças não conheciam."[11]

Essa infância diferente talvez explique a adoração de Zeca pela criançada. O sambista sempre gostou de fazer uma festa para elas, perto do Dia das Crianças, desde a época em que morava em Irajá e em Del Castilho. E o segundo disco de sua carreira, *Patota de Cosme*, demonstra essa forte relação. Na capa, Zeca está cercado por dezenas de garotos de Olaria e do Buraco Quente, regiões do Morro da Mangueira. Na contracapa, há uma gravura de São Cosme e São Da-

11. DIAS, Leo. "TV Fama". Rede TV!, Rio de Janeiro, 23 de agosto de 2013 (programa de TV).

mião, para "espantar o mau olhado". E a faixa-título pede a proteção dos santos numa querela amorosa:

> *Já levou o meu nome pra macumba*
> *Pra me amarrar*
> *Já tentou diversas vezes me prejudicar*
> *Mas minha cabeça é sã*
> *Porque Cosme é meu amigo*
> *E pediu a seu irmão: Damião*
> *Pra reunir a garotada*
> *E proteger meu amanhã*

A escolha do mote para este segundo disco ainda remete ao momento de vida por que passava o artista neste ano de 1987: estava aguardando seu primeiro filho, Eduardo, que nasceria em julho. Zeca fez questão de preparar a casa na Rua Itamarati, em Cascadura, para receber o primeiro herdeiro, com elementos que o faziam lembrar sua infância. Comprou cavalo e charrete para passear com ele pelas ruas do bairro; uma cabra, chamada Doroteia, para tirar leite para o menino; além de cinco cachorros, um papagaio e um mico. Era a paixão pela vida rural se manifestando – poucos anos mais tarde, isso ia resultar na mudança do cantor e sua família para um sítio em Xerém.

A temática infantil também aparece em outro grande sucesso desse disco, "Menor abandonado", que tem uma pegada mais social. É uma das músicas mais pungentes e "sérias" da carreira de Zeca. A canção foi feita em São Paulo, durante a turnê do disco *Raça Brasileira*. Pedrinho da Flor chegou do Rio e, ao passar pelo aeroporto, se deparou com vários pedintes que assediavam os passageiros. Quando encontrou Zeca e Mauro Diniz, na casa de seu Orlando, Pedrinho contou que tinha ficado muito triste com a cena. No táxi, fez a primeira parte da música:

Me dê a mão, eu preciso de você
Seu coração, sei que pode entender
E o calçadão é meu lar, meu precipício
Mesmo sendo sacrifício
Faça alguma coisa pra me socorrer

Mauro e Zeca se juntaram e fizeram a segunda. A música estourou e até hoje é cantada nos momentos mais calmos dos pagodes. Mas o maior legado deste disco para a carreira de Zeca Pagodinho, sem dúvida alguma, foi "Maneiras". A música é de Sylvio da Silva, compositor que frequentava as rodas de samba no Irajá e em bairros próximos. Zeca o conhecia há tempos e sempre se disse fã de Sylvio. "Maneiras" fez muito sucesso e sua letra ajudou a compor o "personagem" Zeca Pagodinho para o grande público.

Se eu quiser fumar, eu fumo
Se eu quiser beber, eu bebo
Eu pago tudo que eu consumo
Com o suor do meu emprego
Confusão eu não arrumo
Mas também não peço arrego
Eu um dia me aprumo
Pois tenho fé no meu apego
Eu só posso ter chamego
Com quem me faz cafuné
Como o vampiro e o morcego
É o homem e a mulher
O meu linguajar é nato
Eu não estou falando grego
Eu tenho amores e amigos de fato
Nos lugares aonde eu chego
Eu estou descontraído
Não que eu tivesse bebido

Na porta de casa, na época do lançamento do *Patota de Cosme*

Nem que eu tivesse fumado
Pra falar de vida alheia
Mas digo sinceramente
Na vida, a coisa mais feia
É gente que vive chorando
De barriga cheia

Ainda hoje, esse é um dos momentos mais festejados dos shows de Zeca. Ao cantar "Maneiras", ele costuma exibir seu copo de cerveja e fazer um brinde com a plateia. O cigarro e a bebida sempre fizeram parte do mundo que cercou Zeca Pagodinho. E ele nunca tentou esconder isso de seu público. Pelo contrário, através desses elementos, buscava mais uma identificação com o povo que sempre consumiu os mesmos produtos – mais tarde, Zeca viraria o principal garoto-propaganda de uma marca de cerveja.

Se no palco os "aditivos" eram só sucesso, nos bastidores eles traziam alguns problemas, aliados ao pouco apreço de Zeca pelas formalidades. Nessa época, chegou a faltar umas quatro vezes ao programa do Chacrinha. "A produção vinha me buscar e eu ficava em cima do telhado só olhando o que acontecia. A avó da minha mulher dizia: 'Mas ele não está. Eu vou fechar a porta, com licença.' E os caras xingavam: 'Não vou com os cornos dessa velha...'"[12]

Na TV Manchete, o episódio foi mais folclórico. Certa vez, ficou esperando tanto tempo para entrar em um programa que não aguentou: pulou o muro e foi embora, para desespero dos produtores. "Eles tiravam muita onda com samba em televisão. O samba sempre teve esse negócio, parecia que estavam fazendo um favor. Você perguntava a que horas ia começar e o cara respondia: 'Ah, não sei não, aguenta aí.' Como quem diz: 'Não tem

12. SUKMAN, Hugo. "E o samba ganhou as paradas". *O Globo*, Rio de Janeiro, Segundo Caderno, página 8, 6 de junho de 2005.

que estar reclamando de porra nenhuma...' Mudou porque nós botamos pé firme."[13]

Depois de algumas perdas de compromissos, Zeca tomou um puxão de orelhas de Bira Presidente, o líder do Fundo de Quintal e do Cacique de Ramos, figura respeitada por dez entre dez sambistas: "Não faça mais isso. Assim você prejudica todos nós."

Outras figuras em volta de Zeca também ajudaram a segurar a onda. Mauro Diniz, por exemplo, sempre foi um dos mais responsáveis do grupo e procurava proteger o amigo das "furadas". Nas gravações, era Paulão 7 Cordas quem colocava ordem na bagunça. Mas não conseguiu evitar algumas situações insólitas, como no dia em que Zeca sumiu dentro do estúdio. Simplesmente desapareceu! Era hora de colocar voz numa música e não se sabia de seu paradeiro. Procura daqui, procura dali, cadê ele? Ninguém achava. Depois de algum tempo de buscas, foram encontrá-lo num canto de uma sala, dormindo no chão, enrolado dentro de um... tapete!

13. SUKMAN, Hugo. "E o samba ganhou as paradas". O Globo, Rio de Janeiro, Segundo Caderno, página 8, 6 de junho de 2005.

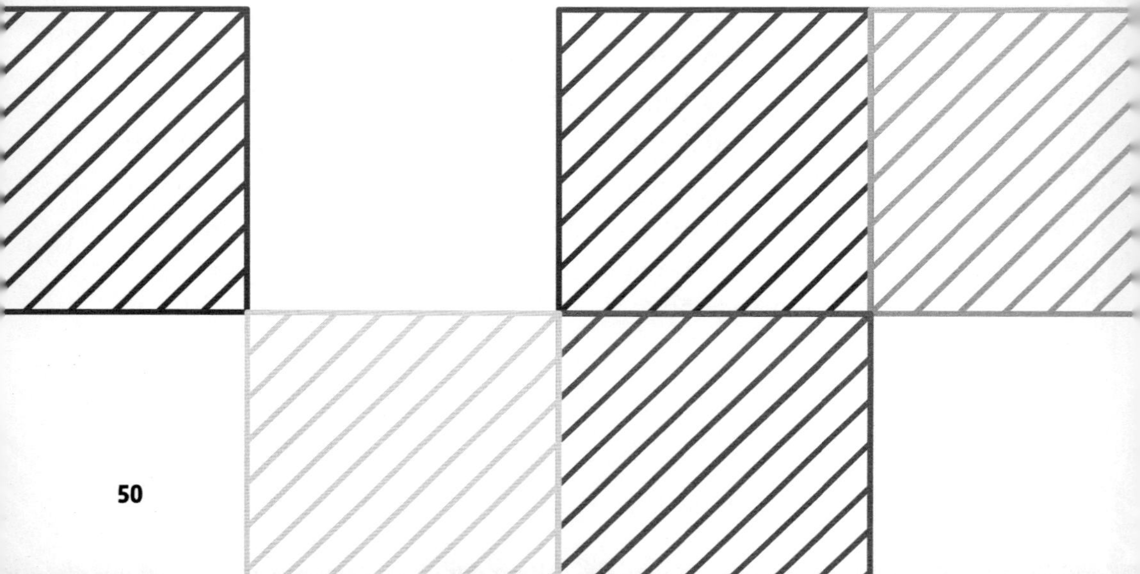

ZECA PAGODINHO

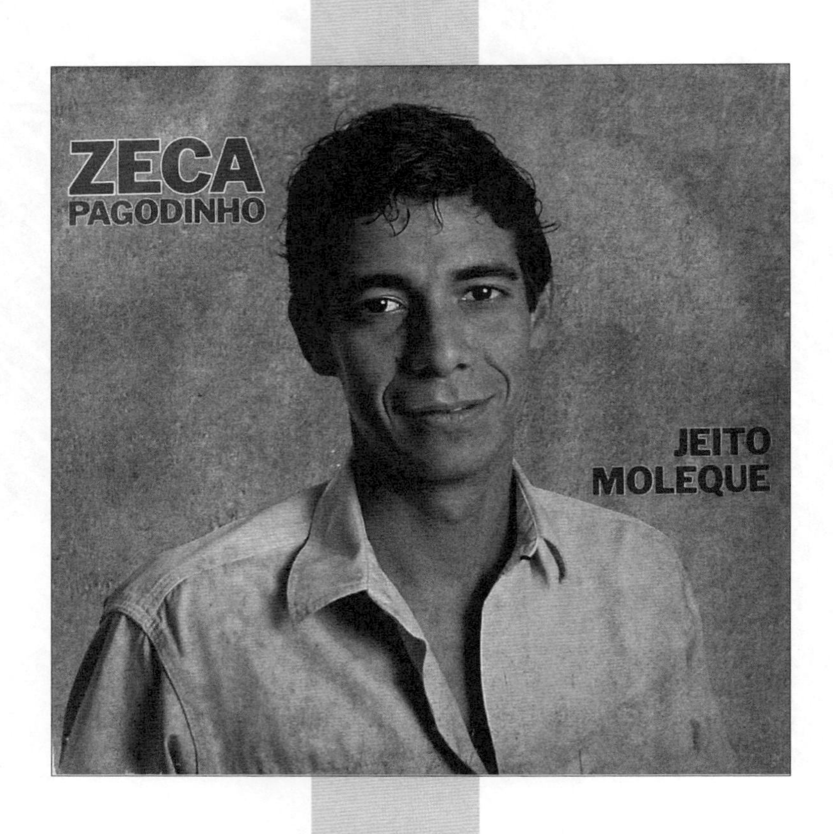
ZECA
PAGODINHO
JEITO
MOLEQUE

3º CAPÍTULO

JEITO MOLEQUE (1988)

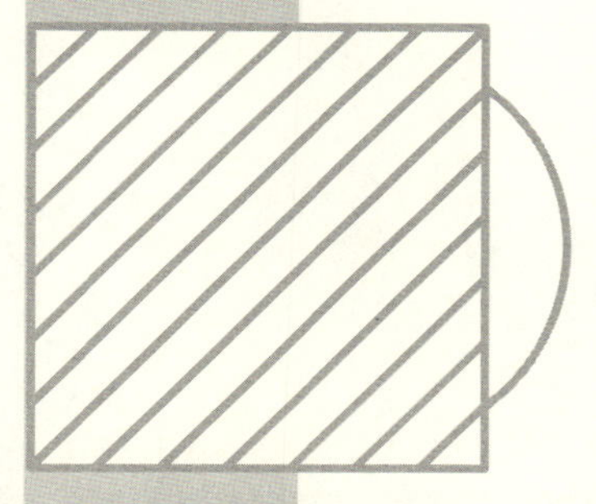

DISCO 3

JEITO MOLEQUE (1988)
Gravadora: RCA/BMG
Produção: Milton Manhães
Capa: Carlos Amaral
Fotos: Oskar

1. **JEITO MOLEQUE**
(Darcy do Nascimento / Dominguinhos do Estácio)
2. **MANERA MANÉ**
(Beto Sem Braço / Serginho Meriti / Arlindo Cruz)
3. **CUIDADO COM A INVEJA**
(Martinho da Vila / Zé Katimba)
4. **O SOL E A BRISA**
(Mauro Diniz / Franco)
5. **FEIRA DO ACARI**
(Jorge Carioca)
6. **CHAMEGO DE PAI**
(Beto Sem Braço / Zeca Pagodinho)
7. **SE TIVESSE DÓ**
(Zeca Pagodinho / Nelson Rufino)
8. **MELHOR SOLUÇÃO**
(Monarco / Ratinho)
9. **POR QUERER, SEM QUERER**
(Serginho Meriti / Acyr Marques)
10. **PISA COMO EU PISEI**
(Beto Sem Braço / Aluisio Machado / Zeca Pagodinho)
11. **PARTIDO DOCE**
(Mauro Diniz / Zeca Pagodinho)
12. **O SAMBA**
(Argemiro)
MULHER PERVERSA
(Chico Santana / Monarco)
ABRA AS VISTAS, RAPAZ
(Alcides Lopes / Monarco)

Alberto Lonato, Monarco, Surica, Casquinha, Zeca, Eunice, Argemiro, Doca e Manacéia no estúdio da RCA

JEITO MOLEQUE (1988)

A gravadora RGE foi a grande máquina mercadológica propulsora do movimento do pagode carioca. Ao mesmo tempo em que lançou os dois primeiros discos de Zeca Pagodinho, também colocava no mercado LPs de Fundo de Quintal, Almir Guineto, Jovelina Pérola Negra, Elaine Machado e Pedrinho da Flor. Além de contratar os grandes nomes do gênero na época, a companhia fez um bom trabalho de divulgação dos artistas. Sua estratégia era diferente dos tradicionais lançamentos de gravadoras: em vez de ir "de cima para baixo", como se fazia com os discos em geral, massificando sua execução, a RGE preferiu ir "de baixo para cima", fortalecendo a divulgação nos pagodes e nas rodas de samba periféricas. O entendimento era que, se os artistas tivessem penetração nesses locais, aos poucos atingiriam todo o público, num movimento lento, porém consistente.

Além disso, a gravadora também entendeu que os sambistas precisavam de um tratamento "de primeira" nas gravações de seus discos. Dessa forma, o produtor Milton Manhães recebeu boas condições de trabalho no estúdio, sem um tratamento inferior por serem produções de samba. E um dos grandes responsáveis por acreditar no pagode e dar a ele o *status* merecido foi o gerente-geral da RGE, Marcos Silva.

Marcos foi quem fez as contratações de todos esses nomes para a RGE e era o interlocutor dessa turma na companhia. Além de gostar da batucada, confiava em seu sucesso comercial. “Em samba, quem sabe sabe; quem não sabe não faz. Um sambista desse estilo não se produz, é nato. A máquina pode produzir um artista jovem. É só mandar ele ir ao cabeleireiro, ao dentista, dar vermífugo para ele. Mas um pagodeiro não se produz”, disse à época, salientando que a música destes sambistas tinha comunicação imediata com o público: “Não são letras que vêm com bula, como dizemos no meio. Não é preciso explicar o que estão querendo dizer. Há uma poesia característica do pagode, uma linguagem própria, pura.”[14]

Mas, em 1988, uma notícia triste mudou os rumos desta relação entre o pagode e a RGE: a morte de Marcos Silva. Os novos mandachuvas da gravadora, sem tanta relação com o gênero, olharam os números nas planilhas de vendas e viram que o segundo disco de Zeca Pagodinho não tinha sido tão bem-sucedido quanto o primeiro. Resultado: não renovaram o contrato com ele.

E Zeca estava mesmo querendo mudar de ares. “Só preciso de uma gravadora que tenha consciência do que é o pagode para utilizá-lo como se deve”[15], disse à época. Semanas depois, assinou com a RCA, que era considerada o “berço do samba” entre as gravadoras, por ter em seu *casting* nomes como Martinho da Vila, Beth Carvalho, Alcione, Bezerra da Silva e João Nogueira. Só que, se aparentemente a multinacional apostava no gênero, por outro lado Zeca Pagodinho não era mais o grande nome do movimento, como ocorria na RGE. Pelo contrário, na RCA (que em seguida passaria a se chamar BMG),

---

14. “Chegou à Zona Sul e já vendeu 3,5 milhões”. *Jornal do Brasil*, Rio de Janeiro, Caderno B, página 4, 14 de dezembro de 1986.

15. “Zeca Pagodinho”. *O Globo*, Rio de Janeiro, Jornais de Bairro, página 16, 22 de abril de 1988.

ele era o "último da fila", no meio de tantas estrelas. Isso impactou diretamente no resultado de seus próximos discos.

O primeiro na nova casa foi *Jeito Moleque*. Para se ter uma ideia, nenhuma música desse disco se manteve por muito tempo no repertório, embora haja boas canções. A que mais teve sobrevida foi "Pisa como eu pisei", única parceria de Zeca com dois grandes poetas do Império Serrano, Aluisio Machado e Beto Sem Braço – um partido-alto no estilo das rodas caciqueanas. Nesse disco, Zeca também retoma o tema da infância, falando dos "meus tempos de criança", no bom samba-enredo "Jeito moleque", de Darcy Nascimento e Dominguinhos do Estácio, canção escolhida para abrir o disco e ser a faixa-título.

Quando eu me lembro
Dos meus tempos de criança
Jogo de botão ou de pelada
Cara suja da calçada
Calça curta e pé no chão
Vovó zangava quando eu não passava na lição
Mamãezinha punha de castigo
Se no tal ano letivo
Não mostrasse produção
Papai brigava e como dava sugestão
Moleque você tem que tomar jeito
Pois se não andar direito
Eu lhe meto o cinturão
E quando a noitinha ia chegando
Pra caminha caminhando
Eu cantava esse refrão
Embala eu, babá
Embala eu
Embala eu, babá
Embala eu

Recebendo o Disco de Ouro por *Jeito Moleque,* com o produtor Milton Manhães

Já a última faixa do LP traz o *pot-pourri* da Velha Guarda da Portela, com "O samba", de Argemiro Patrocínio, "Mulher perversa", de Chico Santana e Monarco, e "Abra as vistas, rapaz", de Monarco e Alcides Malandro Histórico. É a primeira vez que os poetas portelenses encerram um disco de Zeca, o que se repetiria algumas vezes em sua discografia. A ligação do cantor com a Velha Guarda é antiga, desde o começo de sua relação com o samba. Mais do que musical, sua afinidade com os bambas da azul e branco era pessoal – Argemiro e Alberto Lonato, por exemplo, eram seus amigos. E aqui fica explícita outra característica: além de ter uma paixão pelas crianças, Zeca sempre demonstrou uma profunda admiração pelos mais velhos. Com isso, veio o respeito pela obra que eles construíram, valorizada pelo afilhado em cada novo disco, em cada entrevista, em cada show.

Com o tempo, a Velha Guarda da Portela parou de aparecer simplesmente nos coros para se tornar uma das participações especiais com lugar cativo nos trabalhos de Zeca. E estes se tornaram os dias mais animados de estúdio. Tanto que, embora nas gravações de Zeca Pagodinho tenha sempre comida e bebida, é no dia da Velha Guarda que a coisa toma *status* "oficial": é servida uma bela feijoada, com direito a couve e laranja, claro, e todos os acompanhamentos "bebíveis" a que se tem direito. Com tanta gente bamba reunida, é comum a turma procurar um "reloginho", ou seja, aquela figura em quem todo mundo vai "botar pilha", vai sofrer a encarnação do dia. Tia Doca sempre foi uma das que mais brincou com a rapaziada. Já Argemiro e Alberto eram normalmente os que sofriam o "bullying" (que naquela época ainda não tinha esse nome pomposo). A dupla bebia um pouquinho a mais e acabava se encostando em qualquer canto para tirar uma soneca.

Certa vez, Alberto deu um de seus famosos cochilos – e o autor de "Peixe com coco" e "Sofrimento de quem ama" tinha o mau costume de falar enquanto dormia. Assim, começou a balbuciar: "O Argemiro é meu camarada... Mas eu vou pegar aquela mulher dele...” Pronto: foi a senha para que todo mundo passasse o dia todo encarnando em Alberto – e em Argemiro, claro, afinal de contas a mulher em questão era a dele.

Além do *pot-pourri* de encerramento, a Velha Guarda da Portela ainda aparece no disco *Jeito Moleque* representada pela música de Monarco “Melhor solução” (em parceria com Ratinho). Mas esta também não aconteceu muito em termos radiofônicos. “Manera mané” e “Feira do Acari” até chegaram a tocar na rádio, mas nada comparado aos sucessos “de outrora”. Depois de dois discos muito bem-sucedidos, a carreira de Zeca parecia ter estacionado.

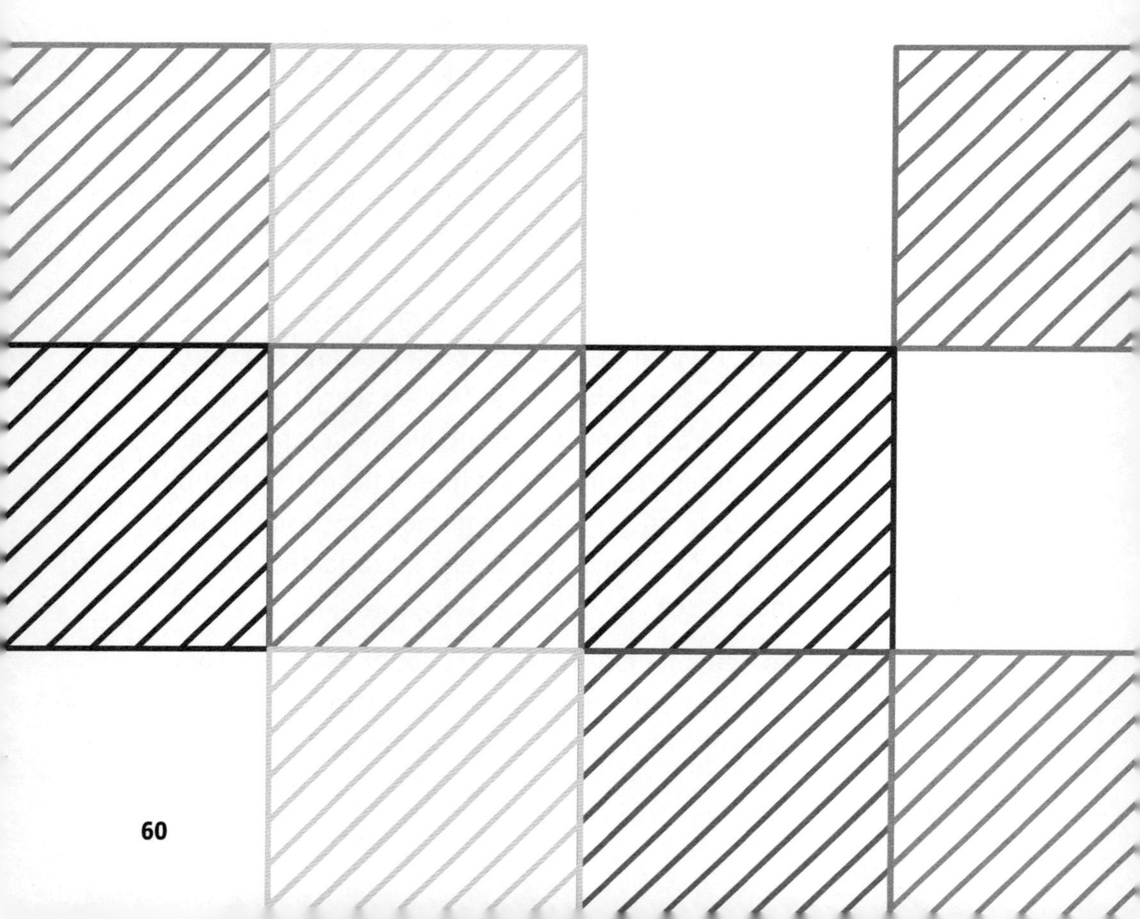

ZECA PAGODINHO
BOÊMIO
FELIZ

4º CAPÍTULO

BOÊMIO FELIZ (1989)

1. **SAUDADE LOUCA**
   (Arlindo Cruz / Franco / Acyr Marques)
2. **TEMPO DE CRIANÇA**
   (Zeca Pagodinho / Beto Gago)
3. **MINTA MEU SONHO**
   (Jorge Aragão)
4. **CORAÇÃO DIVIDIDO**
   (Mauro Diniz / Ratinho)
5. **PINTA DE LORD**
   (Adilson Bispo / Zé Roberto)
6. **HORA DA PARTIDA**
   (Mauro Diniz / Monarco)
7. **BOÊMIO FELIZ**
   (Beto Sem Braço / Carlos Sena)
8. **TER COMPAIXÃO**
   (Zeca Pagodinho / Arlindo Cruz / Marquinhos China)
9. **FORMIGA MIÚDA**
   (Wilson Moreira / Sérgio Fonseca)
   SHOPPING SAMBA
   (Wilson Moreira / Marcos Paiva)
   Participação especial: Wilson Moreira
10. **ZÉ INÁCIO, PAI VÉIO**
    (Beto Sem Braço)
11. **FILIAL DA MATRIZ**
    (Serginho Meriti / Arlindo Cruz)
12. **VOLTA MEU AMOR**
    (Manacéia / Áurea Maria)
    CADA UM PRO SEU LADO
    (Alberto Lonato)
    EU JÁ ANDO CHEIO DE ABORRECIMENTO
    (Nelson Amorim)
    DONA DO MEU CORAÇÃO
    (Argemiro)
    Participação especial: Argemiro
    CANTAR DE UM ROUXINOL
    (Paulo da Portela)

DISCO 4

BOÊMIO FELIZ (1989)
Gravadora: BMG / RCA
Produção: Ivan Paulo
Fotos: André Papi
Capa: A. Teixeira e Vittore Talone

Recebendo o Disco de Ouro por *Boêmio Feliz*

BOÊMIO FELIZ (1989)

Zeca Pagodinho continuava boêmio, como avisa o título de seu quarto disco, mas muita coisa mudou em sua carreira naquele período. Este foi o primeiro álbum sem Milton Manhães, o produtor que o havia alçado para o sucesso em *Raça Brasileira*, bancado seu primeiro disco solo e produzido seus três primeiros trabalhos.

Ivan Paulo, que fizera arranjos para os três discos anteriores, assume como produtor. Ivan já tinha experiência no *metiê*, produzindo LPs de Beth Carvalho, Almir Guineto e Jorge Aragão. Ao ser convidado para assumir o trabalho com Zeca Pagodinho, sua ideia era manter a base do que vinha sendo feito nos álbuns anteriores. Uma das diferenças foi o coro de resposta que introduziu na música de abertura do disco, o sucesso "Saudade louca":

Nunca mais ouvi falar de amor
Nunca mais eu vi a flor
Nunca mais um beija-flor
Nunca mais um grande amor assim
(...)
Ando louco de saudade

Saudade, saudade ô
Que é louca por você

O coro é uma das marcas deste disco. Nos créditos, aparecem nada menos do que 22 pessoas fazendo parte do coral. Uma delas era Tia Surica que na época ainda não era tão conhecida e acabou creditada como "Tia Soriça". O encarte desse disco foi elaborado com as letras e as histórias de cada uma das músicas. Conta, por exemplo, que a música-título, "Boêmio feliz", foi feita para os Bohêmios de Irajá no carnaval de 1985. Mas o samba acabou perdendo a disputa no bloco. Motivo: a falta de cantor para defendê-lo na quadra, depois das noitadas dos seus autores e amigos. Na gravação da canção, Zeca aproveitou para mandar um "alô" para vários de seus companheiros do bloco: o presidente Luizinho, Ari da Farmácia, Adilsão, o mestre de bateria, a rapaziada de Vaz Lobo, a Ala do Pagodinho e... a rapaziada da Vila Mimosa!

"Boêmio feliz" era de Beto Sem Braço, um dos compositores favoritos de Zeca. Só nestes quatro primeiros discos foram gravadas 11 canções dele (o autor mais recorrente nesse início da carreira de Pagodinho).

Sem Braço foi um dos ídolos de Zeca. Os dois frequentaram muito a "malandragem" nos anos 80. O imperiano era quase 20 anos mais velho e levava o então menino Pagodinho para explorar as rodas de samba nas favelas, para desbravar o "mundão". Eram conhecidos como dois "cabritos", porque adoravam subir morro. Sem Braço gostava que Zeca terminasse suas músicas; a maior parte das parcerias deles tem a primeira feita por Beto e a segunda escrita por Zeca. Um dos sonhos de Sem Braço era levar o amigo para compor um samba-enredo para o Império Serrano. Ele sempre recusou, mas não por ser portelense: "Para fazer samba-enredo tem que ir a muita reunião, tem que ter disciplina, é muita gente se metendo. Não é a minha praia"[16], diz Zeca, que nunca compôs para escola de samba, mas fez o hino do carnaval de 1985 do bloco Xuxu Beleza, do Irajá.

Além de incentivar os novatos a compor (Arlindo Cruz também era muito querido por ele), Beto Sem Braço fazia a fama deles nas rodas por onde passava, espalhando os nomes ainda desconhecidos pelos cantos mais remotos do Rio. Zeca aprendeu muito com Sem Braço – coisas boas e ruins, dizem os mais próximos. Segundo ele, foram essas andanças que trouxeram a inspiração para a maior parte de seus sambas: "Jamais posso desprezar a rua. Foi dali que eu tirei as conclusões para fazer minhas rimas. Foi da vadiagem, da madrugada, do submundo." E Beto Sem Braço teve papel fundamental nisso. A amizade era tanta que o amigo foi escolhido para escrever a contracapa do quarto disco de Zeca:

> *Oh, dádiva do céu!*
>
> *Agradecemos por nos presentear, mais uma vez, com essa bolacha musical. E também pela energia, forte luz que ilumina a mente desse poeta cantor, cujas sensíveis razões penetram nos mais fechados corações.*
>
> *Ele é Zeca Pagodinho, que vem de uma "Patota de Cosme", com seu "Jeito Moleque", para cantar como um "Boêmio Feliz".*
>
> *Deus te guie,*
>
> *BETO SEM BRAÇO*

Outro texto que aparece no encarte é o do produtor musical Marcos Salles, assistente de produção de Ivan Paulo nesse disco. Num trecho, Salles relembra as origens de Zeca:

> *E, como é sabido, esse Jessé Boêmio se confunde com o bloco do bairro, onde ainda hoje os pagodes acon-*

16. Dois dedos de prosa. "Programa do Ratinho". SBT, São Paulo, 9 de julho de 2013 (programa de TV).

Zeca e Argemiro no palco

> *tecem. No quintal da casa do saudoso Thybau, comandados por um quarteto da pesada: Tia Náia, Seu Alberto, Marlene e Beto Gago. Era nessa casa que se organizava a Ala do Pagodinho, grande força do bloco, que tinha, vejam só, o moleque Zeca Pagodinho, de 12 anos, como mascote. Ele tomava conta dos instrumentos da bateria. Dizem até que era esperto na vigília. Tudo arrumado, só mesmo um bom ônibus e a farra ia para a Avenida Rio Branco, engrossar as fileiras do Bohêmios de Irajá.*

Na varanda do tio de Zeca, Thybau, nasceu uma das músicas do disco, "Tempo de criança", que novamente traz o tema da infância para o repertório. Zeca e o primo Beto Gago lavavam o chão na frente da casa, depois do pagode da noite anterior, quando viram as crianças da rua pulando corda e jogando pião. Bastou para começarem a compor este samba.

O disco *Boêmio Feliz* marca a estreia ainda da participação da Velha Guarda da Portela, não só no coro ou entre os compositores, mas como voz convidada nas faixas. A honraria coube a Argemiro Patrocínio, que canta no *pot-pourri* de encerramento do disco (entre outras pérolas, lá está "Volta, meu amor", um dos mais lindos sambas já compostos pelos poetas da azul e branco). Argemiro entra para versar com Zeca Pagodinho – e o duelo de versos era um dos principais passatempos dessa dupla de amigos.

Zeca exaltava a capacidade de versador de Argemiro. E olha que não era fácil entrar nessa seleta lista, pois eram poucos os partideiros que tinham a admiração de Zeca no improviso, até porque ele era um dos melhores nessa arte. Entre eles, estavam Arlindo Cruz, Almir Guineto, Deni de Lima, Beto Sem Braço e Aniceto. Certa vez, no Cacique de Ramos, Zeca foi desafiado por Mussum (integrante do grupo Originais do Samba, que fez fama como integrante de *Os Trapalhões*). Zeca perguntou: "Mas você tá podendo?" Mussum disse que sim, e eles começaram a versar. Depois de muitas rodadas sem Zeca cansar, respondendo sempre à altura, Mussum desistiu e falou: "Eu vou dar uma porrada nesse magrelo..."

Mas tudo num clima de confraternização. As rodas de versos no Cacique corriam sempre com respeito e amizade. O que mais irritava Zeca – e irrita até hoje – era ver algum partideiro fazer uma rima que desrespeitasse o adversário. Embora fosse um dos mais brincalhões da turma, mexendo com todo mundo, quando entrava para versar Zeca só atacava com poesia. E sempre dentro do assunto proposto. "Partideiro que é partideiro vai no tema. Eu vejo um bocado de gente que, quando você fala da Maria, ele responde com o burro e a carroça... Ora, se o tema é a camisa, vamos falar da camisa. Até ninguém aguentar mais!"[17], diz.

Boêmio Feliz traz ainda outra participação ilustre: Wilson Moreira canta nas faixas "Formiga miúda" e "Shopping samba". Esta última faz uma espécie de crítica ao samba que era produzido na época, que na visão dos compositores era meio inadequado, como se fosse "Mocotó sem tornozelo / Sacolé fora do gelo / Feijoada de sagu / Agrião de talo grosso / Carne seca de pescoço". A canção falava do estranhamento provocado pelo samba de então – Zeca diz na introdução que "está cheio de enganador por aí". A letra de Wilson Moreira faz menção à inadequação de alguns novos sambistas, comparando com um "Afoxé da Argentina / Rock and roll da Cochinchina / Rumba de Waterloo / Boi-bumbá de Nova York / Foxtrote do Oiapoque".

Parecia premonição. No ano seguinte, apareceria um grupo chamado Raça Negra, tocando um "samba diferente". E isso ia afetar diretamente a carreira dos sambistas cariocas.

---

17. Making of. *Acústico MTV*. Universal Music, Rio de Janeiro, 2003 (DVD).

ZECA PAGODINHO
mania da gente

5º CAPÍTULO

MANIA DA GENTE (1990)

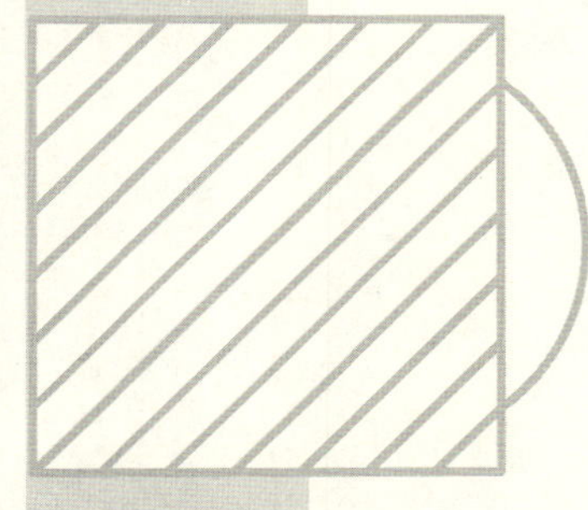

DISCO 5

MANIA DA GENTE (1990)
Gravadora: RCA / BMG
Produção: Ivan Paulo
Fotos: Wilton Montenegro
Capa: Wilton Montenegro e André Teixeira

1. **YAÔ CADÊ A SAMBA**
   (Campolino / Tio Hélio)
   Participação especial: Tio Hélio
   OUTRO RECADO
   (Candeia / Casquinha)
   HINO PORTELENSE
   (Chico Santana)
2. **LENTE DE CONTATO**
   (Zeca Pagodinho / Jorge Simas / Wanderson)
3. **MANIA DA GENTE**
   (Mario Sérgio / Carica / Luizinho)
4. **É DE BLACK-TIE**
   (Zeca Pagodinho / Martinho da Vila)
5. **A VIDA É ASSIM**
   (Carlos Sena / Luiz Carlos da Vila / Otacílio da Mangueira)
6. **LAVADEIRA**
   (Beto Sem Braço)
7. **ALÔ, GATINHA**
   (Wilson Moreira)
8. **FALANGE DO ERÊ**
   (Arlindo Cruz / Jorge Carioca / Aluisio Machado)
9. **AONDE QUER QUE EU VÁ**
   (Martinho da Vila / Beto Sem Braço)
10. **NASCIDO E MAL PAGO**
    (Marcos Paiva / Jorge Simas)
11. **NÃO TE DAREI ESSE PRAZER**
    (Monarco / Ratinho)
12. **EU PREFIRO ACREDITAR**
    (Zeca Pagodinho / Arlindo Cruz / Marquinho PQD)

Zeca e Mônica com o filho Eduardo (foto: Agência Globo)

MANIA DA GENTE (1990)

No quinto disco de sua carreira, Zeca Pagodinho pela primeira (e única) vez gravaria duas músicas de Martinho da Vila, sambista por quem sempre teve muito carinho. Uma delas era parceria dos dois, "É de black tie", enquanto a outra era de Martinho com Beto Sem Braço, "Aonde quer que eu vá". Esta canção fala de uma paixão que unia os três bambas: a vida rural.

Eu desfaço o meu cansaço
Em uma rede de malha
Da vida que eu levo a muque
Em meu casebre de estuque
Todo coberto de palha
Feito a trancos e barrancos
Entre tapas e sopapo
À noite, o coaxar dos sapos
(...)
Eu gosto daqui
Mas um dia eu vou pra acolá
Vou lá pra roça

Quando o meu tempo passar
Em todo meu caminhar Deus está

Além do trio, outros grandes compositores assinaram músicas neste álbum, como Luiz Carlos da Vila, Monarco, Ratinho, Wilson Moreira, Aluísio Machado, Arlindo Cruz, Casquinha e Candeia. A ficha técnica é quase uma seleção de autores de samba, mas o disco não aconteceu, provavelmente pelo pouco esforço feito pela gravadora.

Mania da Gente é um dos LPs que gerou poucas canções para o repertório futuro do artista, embora tenha bons momentos, como a abertura com o *pot-pourri* de músicas da antiga. "Yaô, cadê a samba" é de Tio Hélio, um dos poucos não portelenses a aparecer nestes *sets* da Velha Guarda. Hélio foi fundador do Império Serrano, irmão de Mestre Fuleiro e primo de Dona Ivone Lara. Frequentava as rodas do Cacique de Ramos e era um dos compositores mais admirados por Zeca. Neste disco, faz uma participação especial cantando "Yaô, cadê a samba", que escreveu em parceria com Nilton Campolino.

O *pot-pourri* também traz "Outro recado", de Candeia e Casquinha. A dupla fez esta música como resposta ao grande sucesso "Recado", a primeira música que Paulinho da Viola fez ao chegar à Portela, em parceria com Casquinha. Por fim, aparece o "Hino portelense", de Chico Santana, canção que emociona todas as vezes que é tocada na quadra da azul e branco.

Portela
Suas cores tem
Na bandeira do Brasil
E no céu também
Avante portelense para a vitória
Não vê que o teu passado é cheio de glória
Eu tenho saudade

Desperta, ó grande mocidade
As suas cores são lindas
Seus valores não têm fim
Portela, querida
És tudo na vida pra mim

O ano de 1990 também marca a estreia de Zeca Pagodinho na comissão de frente da Portela. É isso mesmo: com apenas 30 anos, o sambista se juntou a outros 13 bambas portelenses para abrir o desfile da escola. O convite partiu de Alberto Lonato, o que gerou ciumeira dentro da azul e branco. O presidente da Velha Guarda, seu Brêtas, reclamou por não ter sido o autor da convocação. Ao lado de Zeca, Brêtas e Lonato, desfilaram Monarco, Wilson Moreira, Carioca, Periquito, Jorge do Violão, Casemiro, Marcus, Jaú, Ari do Cavaco, Edir e Casquinha. Ao todo, estavam reunidos quase 500 anos de vida e mais de mil músicas compostas. Naquele ano, apesar da estreia de Zeca, seu grande amigo na Velha Guarda não desfilou. Argemiro, que na época trabalhava como servente na quadra da Portela, jogou búzios dois meses antes do carnaval e recebeu um aviso: "O santo me pediu para não sair este ano, não custa nada acatar."[18]

Apesar das divergências com a gravadora, o clima no estúdio durante as gravações era muito bom. Zeca foi alvo de grande parte das brincadeiras neste disco por conta de um fato acontecido durante o registro da música "Falange do erê". A canção retomava o tema da infância, falando da relação com São Cosme e São Damião.

E hoje sou cobra criada
Salve a ibejada, falange de erê
Vinte e sete de setembro
Eu sempre me lembro, não esqueço de dar

18, LOPES, Tim. "Uma rasteira na comissão de frente". *Jornal do Brasil*, Rio de Janeiro, Cidade, página 6, 26 de janeiro de 1990.

Cocada, paçoca, suspiro, pipoca
Bolo, bala, bola, cuscuz e manjar

(Eu dou)

Viva Cosme e Damião, doum (doum)
Viva Cosme e Damião
Viva Cosme e Damião

O tema religioso não assustava ninguém, mas todo mundo ficou com um pé atrás quando Zeca Pagodinho se viu preso dentro do estúdio ao colocar voz nessa música. Já passava da meia-noite quando ele resolveu gravar "Falange do erê". Zeca acabou ficando sozinho no estúdio e, ao tentar sair, a porta não abria de jeito nenhum. Lá fora, na cantina, os outros músicos ouviram os gritos do cantor, que não conseguia se safar e ficou desesperado. Foi preciso a ajuda de um vigia e do compositor Luiz Grande, do Trio Calafrio, para tirar Zeca de lá, "branco de susto". A partir dali, a gravação ficou marcada pela gozação em cima dele.

Outra canção deste disco que ajuda a compor a imagem de Zeca Pagodinho é "Nascido e mal pago", de Marcos Paiva e Jorge Simas. A canção fala das dificuldades da vida no subúrbio, bem conhecidas pelo cantor antes da fama.

Ninguém passou na vida
O que eu passei, o que eu sofri
Carregando pedra lá em Japeri
De ganhar a vida só pegando tatuí
De penar na fila do PAM do Andaraí
De ser pensionista do IAPI
De morar com sogra aturando ti-ti-ti

Carregando mala, descascando abacaxi
Já andei a pé de Del Castilho ao Cachambi
Cheio de saúde fui parar no CTI
Já toquei cuíca pra cantar 'sabor a mi'
Já fui figurante de novela da Tupi
Já fui convidado a fazer harakiri
Já fui reprovado em concurso pra gari
Até num terreno lá na lua eu investi
Já banquei honesto lá na feira de Acari
Ganhei uma mina, só que era travesti
Um psiquiatra me deu zero de QI
Já fui enquadrado até na lei de Murici
Fui pegar cipó e me enrosquei na sucuri
Já fui promovido e transferido pro Chuí
Cavalguei em mula no sertão do Piauí
Eu já peguei dengue em mordida de siri

Neste mesmo ano, Zeca dá uma entrevista interessante para o *Jornal do Brasil* em que mostra mais um pouco de sua alma suburbana. A repórter Heloísa Tolipan pergunta qual dica de programa o cantor daria para um turista que estivesse chegando ao Rio. Zeca responde: "Comigo um turista faria um roteiro de subúrbio. Logo de manhã, tomaríamos uma Brahma e uma Caracu na Quitanda do Diamantino, na Rua Miguel Rangel, em Cascadura. Dali iríamos direto para a Tendinha do Luiz, na Rua José Sombra, em Irajá, o meu ponto. Se este passeio for numa sexta-feira, é dia de feira livre e um peixe frito ia cair muito bem. Passaríamos por Vaz Lobo para dar um alô na rapaziada. Depois, outro lugar de muito pagode e conversa fiada: o Bar do Ivan, na Avenida Segall, em Del Castilho. Lá pelas 14h, a gente ia almoçar no Rei do Bacalhau, na Rua Guilhermina, na Abolição. De lá, eu já ligava para a mulher, para avisar que ia chegar tarde. E seguia com ele em direção à

Barra da Tijuca, para a Barraca do Buca, o trailer Oxumaré, na Avenida Sernambetiba. O samba ia rolar até de noite. Lá pelas 23 horas, o negócio era ir para a Tradição, dar um abraço no presidente Nésio, e pra Portela, ficar com a minha Velha Guarda."[19]

Esse "tour" pela cidade é a melhor tradução da alma de Zeca Pagodinho! Rua, bebida, amigos, tendinha, samba... Não importava que as vendas de disco não estivessem tão boas. Zeca precisava de pouco para ser feliz.

---

19. TOLIPAN, Heloisa. "Zeca Pagodinho – Canto do Rio". *Jornal do Brasil*, Rio de Janeiro, Cidade, página 4, 22 de setembro de 1990.

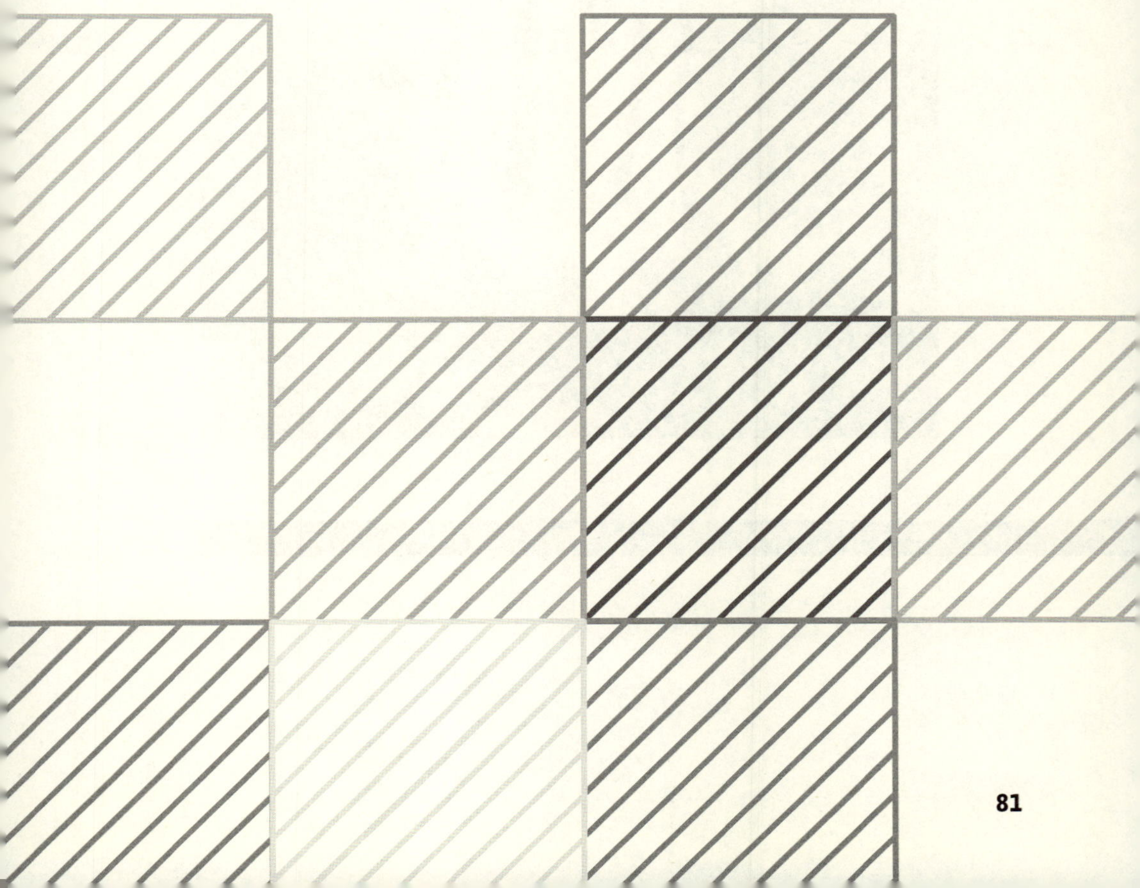

ZECA
PAGODINHO
PIXOTE
Paquetá

6º CAPÍTULO

PIXOTE (1991)

1. **PIXOTE**
   (Sereno / Mário Sérgio)
2. **QUAIS, QUAIS, QUAIS**
   (Efson)
3. **SAMBA NO CHÃO**
   (Otacílio da Mangueira / Ary do Cavaco)
4. **LÁ EM MANGUEIRA**
   (Heitor dos Prazeres / Herivelto Martins)
   NÃO SE FAÇA DE INOCENTE
   (Gradim)
   NÃO SEI POR QUE ME OLHAS TANTO
   (Ismar)
   JÁ SEI DE TUDO, MULHER
   (Alcides Lopes)
   ANDAVA CHORANDO, PERAMBULANDO
   (Nelson Amorim)
   Participação especial: Raphael Rabello (violão)
5. **AH! LEQUE**
   (Beto Sem Braço / Maurição / Souza do Banjo)
6. **MINHA FAMA NINGUÉM TIRA**
   (Tio Hélio / Campolino)
7. **LUA DE OGUM**
   (Zeca Pagodinho / Ratinho)
8. **EM NOME DA ALEGRIA**
   (Zeca Pagodinho / Almir Guineto / Carlos Sena)
9. **MAFUÁ DE IAIÁ**
   (Zeca Pagodinho / Serginho / Argemiro)
10. **CATIVEIRO DO AMOR**
    (Beto Sem Braço / Souza do Banjo / Carlos Sena)
11. **MÃO FINA**
    (Arlindo Cruz / Jorge Davi)
12. **PORTELA SEM VAIDADE**
    (Monarco)
13. **BAMBA NO FEITIÇO**
    (Zeca Pagodinho / Wilson Moreira)

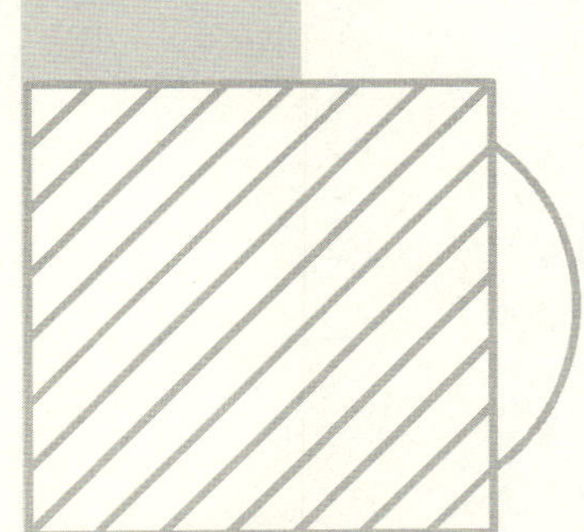

DISCO 6

PIXOTE (1991)
Gravadora: BMG / RCA
Produção: Ivan Paulo
Capa: Letra e Imagem
Foto: Wilton Montenegro

Com Almir Guineto e Jovelina Pérola Negra

PIXOTE (1991)

A música "Shopping samba", gravada dois discos atrás, parecia antever o momento pelo qual o gênero passava nesta época. O sucesso do chamado "pagode paulista" era enorme, monopolizando rádios, programas de TV, casas de show e lojas de disco. Mas Zeca Pagodinho se manteve fiel a seu estilo. Basta ver a canção que dá título a seu sexto disco, "Pixote". A temática era a infância, sempre presente no repertório de Zeca. Além disso, a capa novamente traz o artista ao lado de crianças, em foto feita nos Arcos da Lapa.

Criança é a paz, ternura, é o doce sabor
É a planta, criança é o fruto de uma dor
Não há contratempo, nem chuva, nem vento
É um ser de luz que desponta
Que eterniza a lembrança pra vida
Quisera eu ser um jurado
Pra condenar o mal com o amor
Fazer de todo curumim
A flor mais bela do jardim

Zeca e Wilson Moreira no estúdio da BMG

Canção gostosa pra ninar
E com sorriso despertar
Esse pingo de gente
Meu pixote inocente
Sentimento no ar

Neste disco, está presente o tradicional *pot-pourri* da Velha Guarda, com um recorde de músicas: cinco. No encarte, ao identificar os integrantes da Velha Guarda da Portela que participam da faixa, aparecem duas desconhecidas: Iranete e Jilçária. Pode parecer um erro de crédito, mas na verdade estes nomes pouco comuns escondem as identidades de duas pastoras importantíssimas para o mundo do samba. Se ao nascer elas foram registradas como Iranete e Jilçária, o cartório informal dos bambas cariocas as rebatizou com alcunhas muito mais apropriadas para refletir a ginga que elas exibem: Tia Surica e Tia Doca.

Outro bamba rebatizado nas esquinas da vida, Hildemar Diniz, o Monarco, sofreu um bocado neste disco, embora seja um entusiasta do resgate de canções antigas. O problema é que Zeca ficou encantado com duas músicas que o portelense cantou para ele, "Não sei por que me olhas tanto" e "Não se faça de inocente", e resolveu gravar. Até aí tudo bem. Acontece que, para registrá-las, era preciso saber o autor de cada uma delas, para dar o crédito e fazer o pagamento correto dos direitos autorais. E isso virou uma tarefa para Monarco – afinal, era ele o guardião das memórias da Velha Guarda.

Monarco sabia que estas canções eram do repertório dos poetas mangueirenses, porque aprendeu com Alcides Malandro Histórico, que cantava muitas obras do Morro da Mangueira. A questão é que Alcides costumava atribuir praticamente todas as músicas a Cartola. Mas Monarco sabia que estas duas, especificamente, não tinham a assinatura do mestre da verde e rosa. A

Zeca, Mônica e os meninos Eduardo e Louiz

autoria de "Não se faça de inocente" foi logo descoberta: era de Gradim. Mas e "Não sei por que me olhas tanto"? Ninguém sabia quem era o compositor. E lá foi Monarco correr atrás do verdadeiro "pai da criança". Pergunta dali, se informa daqui e nada. O disco já estava fechando e a produção telefonava, quase diariamente, cobrando o nome que estaria no encarte. Monarco não sabia o que fazer: "Eu não tenho mais onde procurar. Dá o jeito de vocês aí nesse crédito. Bota que é domínio público!"

Até que os santos padroeiros dos compositores devem ter mexido seus pauzinhos, levando Monarco ao encontro de Carlos Cachaça, fundador da verde e rosa. Cachaça fuçou a memória até que se lembrou: "Ih, rapaz, essa música é do Ismar. Ele morou aqui no morro, mas morreu há muito tempo. Nem sei onde estão os parentes dele!" Pronto, a missão estava cumprida: Monarco pode não ter encontrado a família de Ismar, mas o nome do autor de "Não sei por que me olhas tanto" saiu creditado corretamente no disco.

Além de ter dado muito trabalho a Monarco, o *pot-pourri* da Velha Guarda proporcionou um encontro inesquecível para Zeca Pagodinho. Certo dia, durante a gravação deste disco, o sambista soube que Raphael Rabello estava no estúdio ao lado. Rabello foi um dos maiores violonistas brasileiros, craque no violão de 7 cordas e muito dedicado ao choro. Zeca sempre gostou da arte dos violonistas e aproveitou a oportunidade para demonstrar sua admiração:

– Eu vim aqui te cumprimentar, porque te assisti no *Fantástico* e fiquei apaixonado ao ver você tocando violão.

– Pô, que bacana, Zeca! Eu também gosto muito do seu trabalho – disse Raphael para o cantor, que, desconfiado, achou que o elogio era uma gentileza protocolar.

– Hoje eu tô gravando a Velha Guarda da Portela. Não quer ir lá dar uma escutada? – ofereceu Zeca, tendo o convite prontamente aceito.

– Caramba, eu adoro isso! – disse Raphael, ao ouvir os bambas da azul e branco.

– Olha, um dia eu ainda vou ter dinheiro para trazer você para gravar comigo – brincou Zeca, lembrando que uma gravação de Raphael Rabello pagava quase todos os seus músicos.

– Para você eu venho de graça!

– Então toca aí – provocou o sambista.

– Hoje meu violão não está aqui, mas amanhã eu venho – disse Raphael.

Zeca, claro, achou que o violonista estava sendo gentil mais uma vez e não levou a sério a promessa. No dia seguinte, uma sexta-feira, o cantor não iria ao estúdio, porque viajaria para São Paulo, onde tinha shows no fim de semana. Já de volta, na segunda-feira, foi conferir a base do *pot-pourri* da Velha Guarda da Portela: ao ouvir um violão "monstruoso", teve a certeza de que Raphael Rabello cumprira a palavra – ele apareceu no dia seguinte ao papo e tocou suas cordas, eternizadas nessa faixa. No encarte, o sambista fez questão de registrar: "Profundos agradecimentos à espontânea participação especialíssima de Raphael Rabello no *pot-pourri* da Velha Guarda."

Três discos depois, em 1995, Zeca deixaria na contracapa de *Samba pras Moças* uma mensagem especial para Rabello, morto precocemente, aos 32 anos:

> *No meu disco passado*[20] *tive o prazer de conhecer pessoalmente o maior violonista brasileiro – Raphael Rabello. Ele chegou de surpresa no estúdio e ficou emocionado com a Velha Guarda da Portela, que (como sempre) participava comigo de uma faixa. Confessou o mesmo amor e admiração que eu tenho por*

20. Na verdade, foram três discos antes. (Nota dos Autores)

esses bambas de Oswaldo Cruz e se disse meu fã há muito tempo. Fez questão de tocar no disco.

Fiquei impressionado com a sua humildade, e muito feliz por mais esse amigo que arranjei (afinal eu também sempre fui seu fã). Dessa vez ele não pode repetir a dose, mas durante todo o processo desse disco me lembrei muito dele e de seu violão maravilhoso. Obrigado, Raphael de todas as cordas. Fique com Deus!

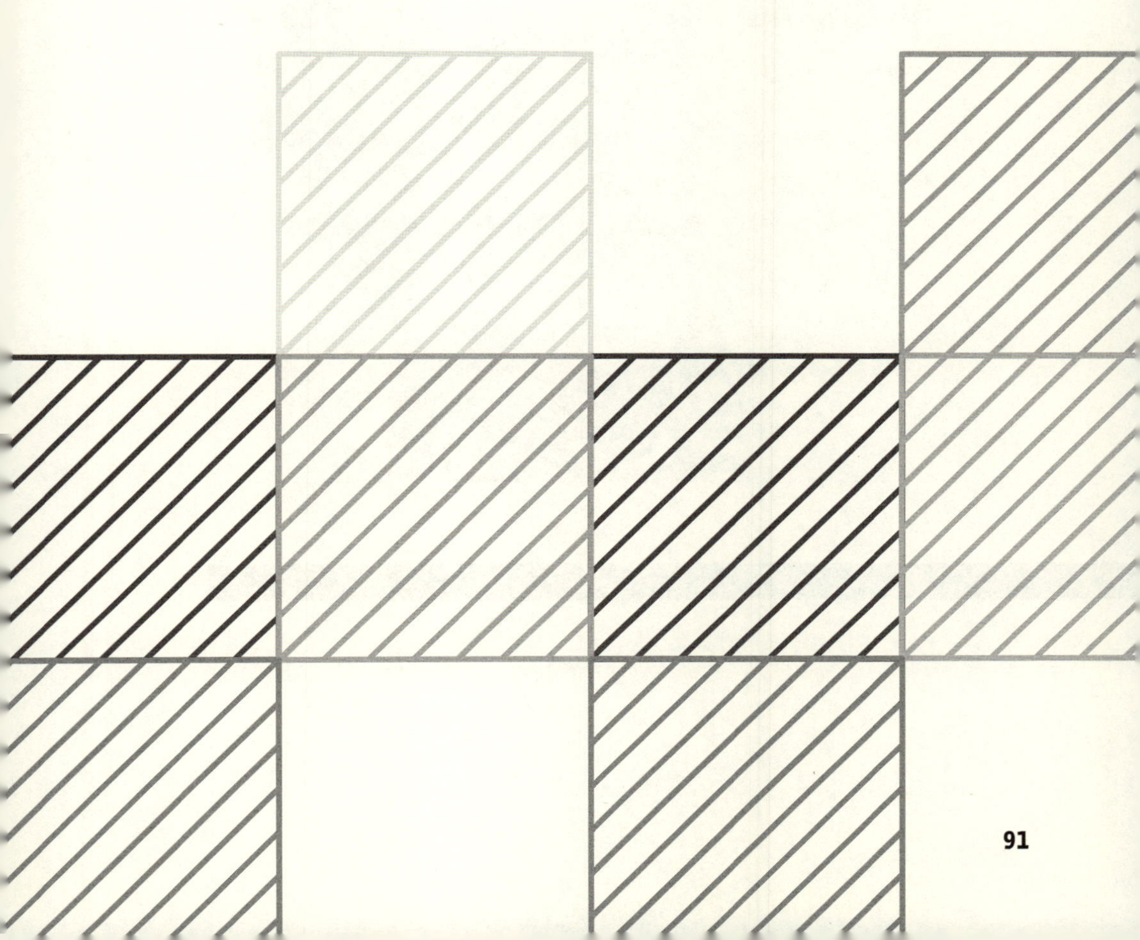

ZECA
pagodinho
UM DOS
POETAS
DO SAMBA

7º CAPÍTULO

UM DOS POETAS DO SAMBA (1992)

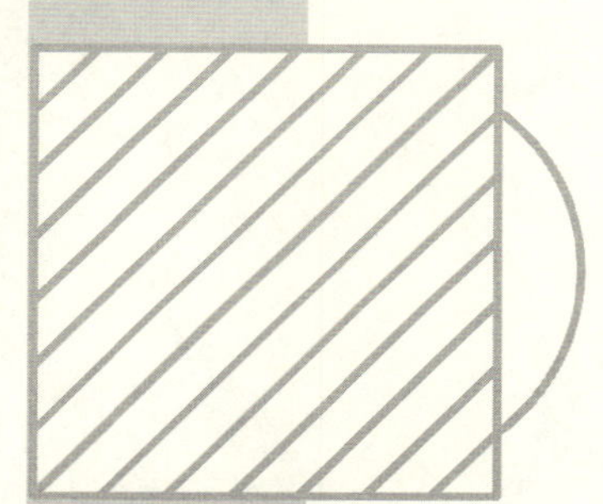

DISCO 7

UM DOS POETAS DO SAMBA (1992)

Gravadora: BMG
Produção: Ivan Paulo
Capa: André Teixeira e Stela Nascimento
Fotos: Winton Montenegro

1. **FIQUEI AMARRADO NA SUA BLUSINHA**
(Barbeirinho do Jacarezinho / Rode)
2. **O FEIJÃO DE DONA NENÉM**
(Arlindo Cruz / Zeca Pagodinho)
3. **ALUGA-SE UM BARRACÃO**
(Bebeto do Ouro / Djalminha / Expedito)
4. **VAI COM DEUS**
(Casquinha)
5. **LARGO DA CARIOCA**
(Adílson Bispo / Zé Roberto / Kleber Rodrigues)
6. **QUANDO QUISERES**
(Manacéia)
MEU TAMBORIM
(Alcides Malandro Histórico)
DÁ-ME UM SORRISO
(Oswaldo dos Santos)
VIDA DE FIDALGA
(Alvaiade / Chico Santana)
7. **TALARICO, LADRÃO DE MULHER**
(Serginho Procópio / Zeca Pagodinho)
8. **VÊ SE ME ERRA**
(Carlos Sena / Otacílio da Mangueira / Serginho Meriti)
Participação especial: Otacílio da Mangueira
9. **FUMO DO BOM**
(Alamir / Arino Ganga / Clemar)
10. **FALSA ALEGRIA**
(Monarco / Ratinho / Zeca Pagodinho)
Participação especial: Velha Guarda da Portela
11. **QUERER DE UM QUERER**
(Bandeira Brasil / Beto Sem Braço)
12. **UM DOS POETAS DO SAMBA**
(Capri / Mário Sérgio / Wilson Moreira)

Zeca numa distribuição de brinquedos para a criançada

UM DOS POETAS DO SAMBA (1992)

Peço licença aos que já se foram
Para dizer que também sou
Um dos poetas do samba
Dizem que sou um marginal
Por andar por aí
Vagando em frases musicais
Às vezes fico embriagado
Cantando sambas divinais
Preste atenção porque eu tenho muito pra ensinar
Mas deixo estar
Eu sou apenas defensor
De uma cultura popular
Peço licença aos que já se foram
Para dizer que eu também sou
Um dos poetas do samba
Que também sou
Um dos poetas do samba
Seja qual for o lugar
Vocês hão de me ver
Eu cumpro um sério dever

Zeca e Monarco

Sou defensor do samba popular
Hei de estar aqui
Ali ou em qualquer recanto
E vocês hão de ver
E ouvir o meu canto
Sabe Deus até quando
Eu desaparecer
Até quando eu desaparecer

Esses versos bem que poderiam ser o resumo de uma biografia sobre Zeca Pagodinho. Foi por isso que ele se animou tanto ao descobrir a canção "Um dos poetas do samba", que deu nome e encerra o sétimo disco de sua carreira. Em sua letra, constam muitas das facetas de Zeca: o respeito pelos nomes do passado, a imagem "marginal", a defesa da cultura popular, o fato de que é um verdadeiro poeta e a visão do samba como missão de vida.

Essas características estão presentes em Zeca desde antes de começar a cantar. Mas não foi fácil ser reconhecido por elas. Até porque hoje em dia é cômodo dizer que ele é carismático, sabe escolher repertório, é um dos melhores versadores do país, representa o povo brasileiro... Mas poucos apostaram que aquele garoto rebelde e brincalhão seria bem-sucedido. "Eu não esperava nada do Zeca. Ele não estudava, não queria fazer nada", conta o pai, seu Jessé: "A maior alegria que ele me deu foi esse sucesso dele. E o melhor: ele não mudou nada!"[21]

O próprio Zeca lembra que pouca gente botou fé em seu sucesso: "As apostas em mim eram sempre como perdedor. Diziam que eu não passaria dos 27, 30 anos."[22] O jogo começou a mudar quando o

---

21. CALÁBRIA, Lorena. "Entrevista Record – Música". Record News, São Paulo, 18 de janeiro de 2008 (programa de TV).

22. O que vi da vida. "Fantástico". TV Globo, Rio de Janeiro, 7 de agosto de 2011 (programa de TV).

garoto foi frequentar as rodas de samba. Naquele momento, o magnetismo que hipnotizava o olhar das plateias sobressaiu, despertando em quem estava em volta a certeza de que o sucesso chegaria.

Zeca era aguardado com ansiedade nos pagodes. Chegava de mansinho, magro como nunca, com o cabelo desarrumado e uma sacolinha das casas Sendas, onde guardava seu cavaquinho – se as Sendas ainda existissem, deviam pagar a ele pelo *merchandising* espontâneo, já que esta sacolinha é citada por quase todos os amigos e se tornou um símbolo do começo da carreira do maior sambista do país. O cavaco nem sempre tinha todas as cordas, mas isso não era um problema, porque Zeca nunca foi um instrumentista refinado; o cavaquinho era apenas um apoio para que ele despejasse seus versos.

Em suas primeiras visitas ao Cacique de Ramos, Zeca e Arlindo Cruz ficavam de fora, olhando a roda, que era formada por nomes mais estabelecidos, como os integrantes dos grupos Fundo de Quintal e Originais do Samba. Nos intervalos, quando os "titulares" se levantavam para tomar uma cerveja ou ir ao banheiro, eles sentavam na roda e começavam a tocar (com a permissão dos donos da casa, "desde que não mexessem nos instrumentos"). O sucesso com o público foi imediato e logo eles estavam integrados à roda principal.

Na época, Almir Guineto já era um grande nome do samba, com a fama de ter participado do festival MPB-Shell, da TV Globo, com "Mordomia". Jorge Aragão também já tinha uma certa fama. Uma das lembranças de Zeca em suas primeiras idas ao Cacique foi ver Aragão com um carro grande, novinho. "Olha aí o carrão do Aragão! O cara já é sucesso!", comentou com Arlindo. E era verdade: antes mesmo de fundar o grupo Fundo de Quintal, Jorge Aragão já tinha músicas gravadas por Elza Soares, Roberto Ribeiro, Emílio Santiago e Beth Carvalho – incluindo os sucessos "Vou festejar" e "Coisinha do pai". Mas logo chegaria a vez de Zeca, quando a madrinha Beth o chamou para gravar "Camarão que dorme a onda leva" e sua carreira deslanchou.

Ainda na época da "dureza", as peripécias de Zeca e Arlindo renderam muitas músicas – uma delas registrada no disco *Um dos Poetas do Samba*. Certo dia, a dupla foi convocada para ajudar a virar a laje no barraco da avó de Mônica, dona Neném, na Favela do Rato Molhado (também conhecida como Águia de Ouro), em Inhaúma. Uma turma ia ajudar com a obra e depois a dona da casa faria seu delicioso feijão. Acontece que Zeca e Arlindo não queriam pegar no batente naquele dia e foram parar num boteco de Del Castilho. Mas a fuga rendeu samba, "O feijão da dona Neném": "Não fomos ajudar na laje, mas fizemos um samba para ela", relembra Arlindo.

Quando chegaram à favela, o trabalho na laje estava pronto – e já era hora do feijão, justamente o que interessava à dupla de compositores. Dona Neném percebeu o golpe, mas como ganhou um samba com seu nome, acabou perdoando.

Entre a cana e o tira-gosto, era mês de agosto, lembro muito bem
Fui na Favela do Rato como convidado da dona Neném
Estranhei o movimento, mas pensei por dentro: vai dar tudo bem
Mas tropecei no tijolo, esbarrei no crioulo, que caiu também
Cheio de fome o negão lá no chão esperando o feijão da Neném
Bota lenha na fogueira, Neném, deixa o feijão cozinhar
Bota lenha na fogueira, Neném, não deixa o feijão queimar
O negão queria briga, porém a fadiga não deu condição
Vi que era malandragem, era pilantragem, era tudo armação
Pediram uma ajuda, me deram a bermuda, a pá, a enxada e o carrinho de mão
Onde se lia a mensagem: "Primeiro a laje, depois o feijão"

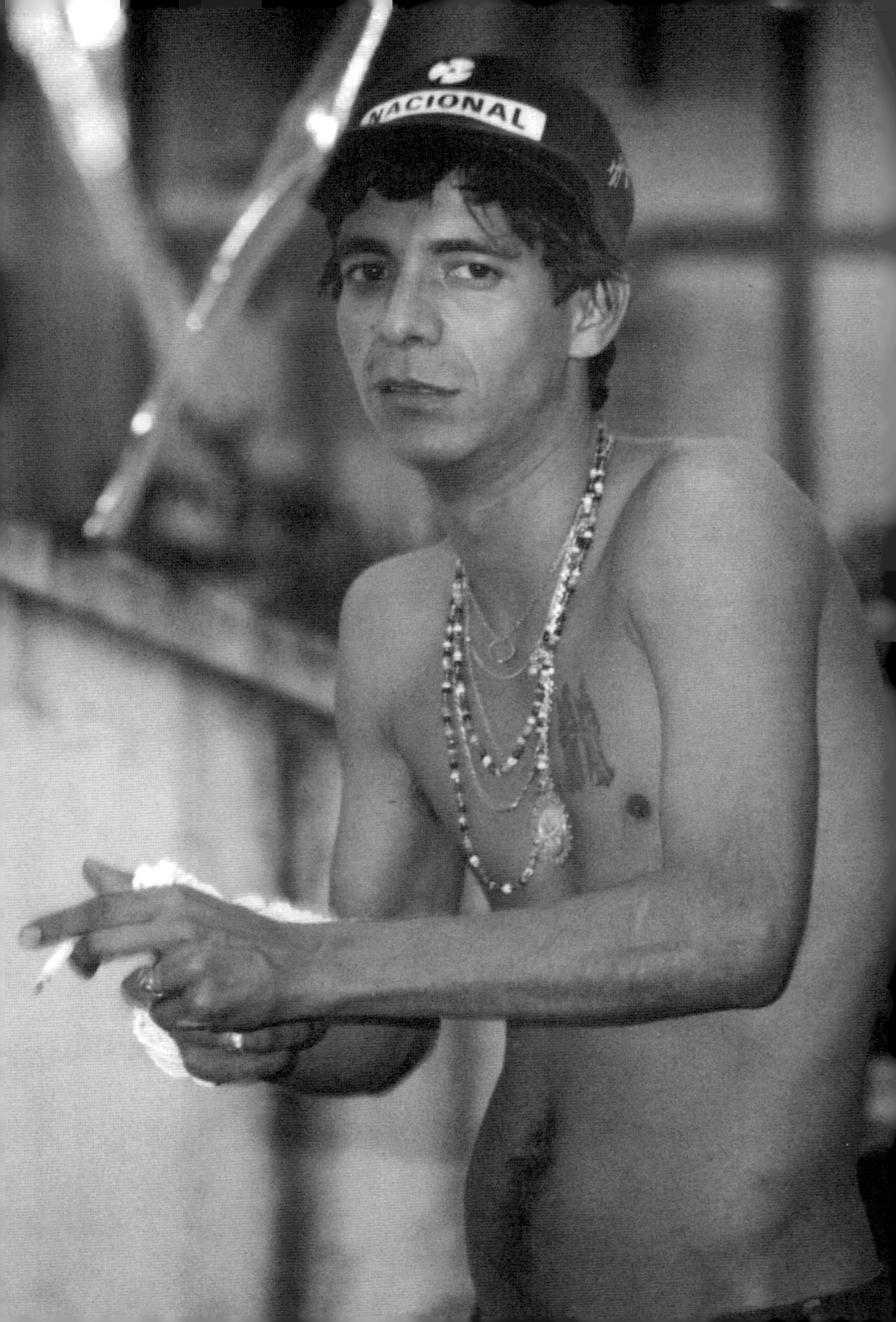
NACIONAL

Outra música biográfica do disco é "Talarico, ladrão de mulher". Zeca se inspirou em uma história antiga, quando roubou a namorada de um rapaz – a mulher era linda e o cara não ficou nada satisfeito. Zeca escreveu a primeira parte desse samba e deu para Serginho Procópio fazer a segunda. O curioso é que Talarico é o próprio Zeca Pagodinho.

Talarico chegou na minha casa
E nem tinha um trocado pro café
Me contou que tinha um caso novo
E pediu que eu lhe desse uma colher
Emprestei a chave do biongo
Aí que foi embora meu axé
Além de pelar todo meu barraco
O safado levou minha mulher
Eu não falo mais com Talarico
Talarico roubou minha mulher

Em *Um dos Poetas do Samba*, a música de Monarco gravada foi "Falsa alegria". Segundo o portelense, essa canção é um fenômeno, porque não foi trabalhada na época do lançamento, tocou pouco nas rádios, mas em todos os seus shows o público canta com fervor. É o caso da música que se fez sozinha.

A história de "Falsa alegria" é interessante. Monarco conta que teve a ideia de escrevê-la ao ver a situação de um amigo, Muca, que sofreu uma desilusão amorosa. Monarco o levava para os pagodes, para ver se animava o rapaz, mas ele ficava pelos cantos, cabisbaixo. Foi isso que desencadeou a inspiração do poeta:

Já não vou mais às festas para me divertir
Já não sei mais cantar nem sorrir
Os amigos do peito estão preocupados com o meu padecer

Quem ontem esbanjava alegria hoje não sente prazer
Ela foi embora sem olhar para trás
É sinal que não volta mais

Monarco mostrou a primeira parte para Mauro Diniz, mas o filho acabou não completando. Quando Ratinho ouviu, não quis perder a chance de terminar.

Em meu lar, seu retrato na parede
Toda noite eu choro
Vou tirar
Sei que ela foi embora
Mas ainda me adora
Eu preciso reviver minha alegria
Só vou deixar seu retrato mais um dia

Zeca conta que ouviu essa música e ela lhe trouxe uma sensação diferente. Ele se sentia dentro daquele universo e ficou com vontade de fazer parte da parceria: "Gostei tanto daquilo que quis ser dono da música também." E complementou a segunda parte de Ratinho:

Não me peçam para cantar
Porque já perdi o tom
Nem tampouco para falar
Minha voz não tem bom som
Em meu lar, só existe nostalgia
Seu retrato na parede
É minha falsa alegria

No começo, Zeca nem quis colocar o nome na parceria, porque tinha feito "só o finalzinho". Mas Monarco e Ratinho insistiram:

era uma boa oportunidade para ter uma música assinada pelos três amigos.

Essa nostalgia presente em “Falsa alegria” bem que poderia servir para ilustrar esse momento da carreira de Zeca. Embora ainda fazendo sucesso nas rodas, as vendas de disco tinham diminuído muito e a relação com a gravadora ia de mal a pior. Lançando novos trabalhos ano a ano, o sambista parecia não saber muito bem como sair dessa encruzilhada. E o disco seguinte, *Alô, Mundo*, seria um dos grandes símbolos dessa fase.

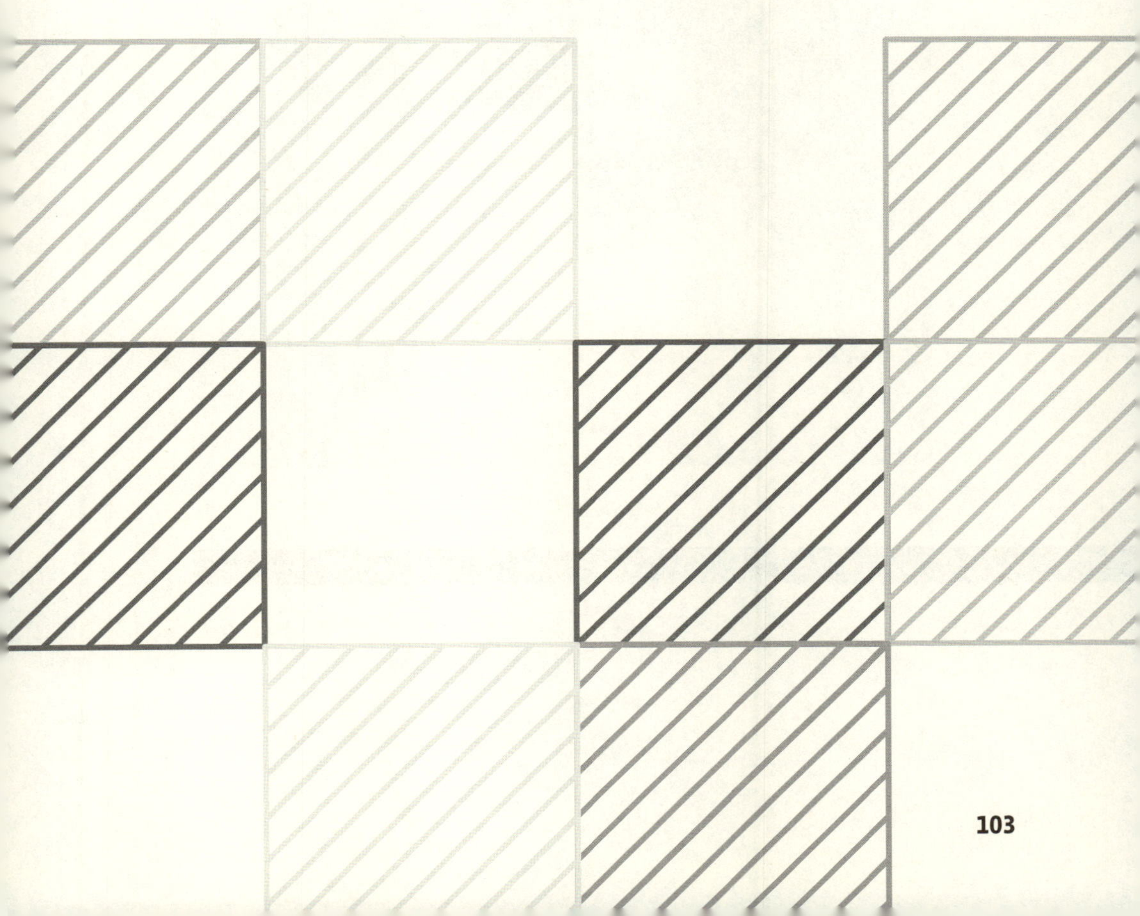

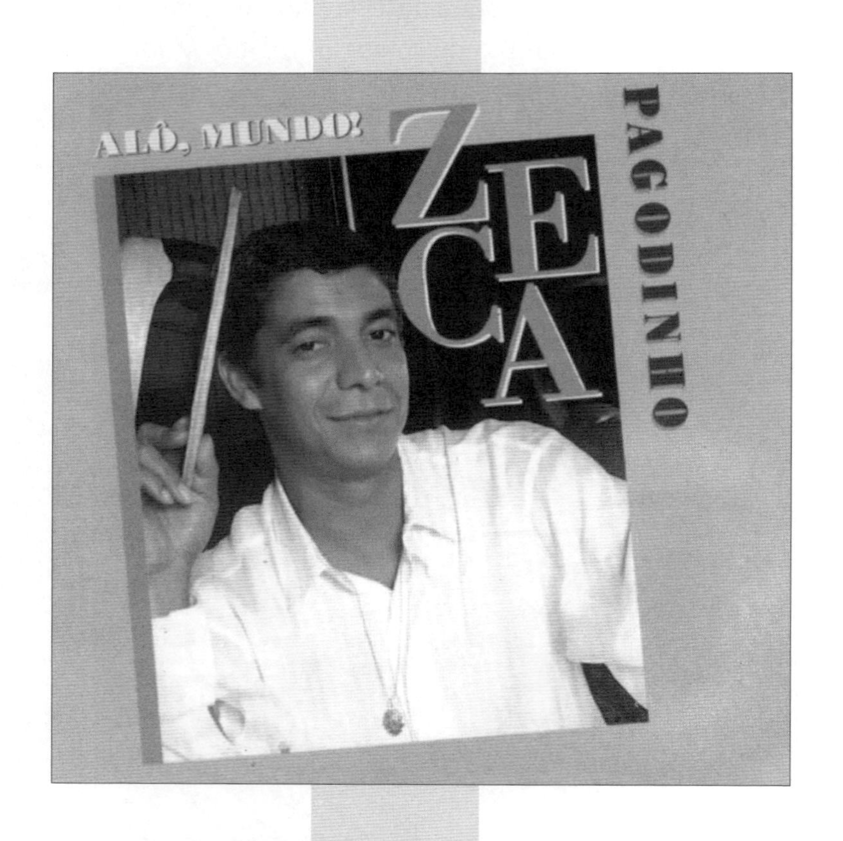
ALÔ, MUNDO!
ZECA
PAGODINHO

8º CAPÍTULO

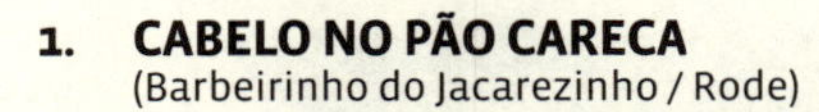

ALÔ, MUNDO (1993)

1. **CABELO NO PÃO CARECA**
(Barbeirinho do Jacarezinho / Rode)
2. **AI QUE SAUDADE DO MEU AMOR**
(Arlindo Cruz / Zeca Pagodinho)
3. **O SALAMINHO**
(Ratinho / Zeca Pagodinho)
4. **MOENDA VELHA**
(Wilson Moreira / Zeca Pagodinho)
5. **MANDEI UM TOQUE**
(Espingarda de Xerém /
Serginho Procópio / Zeca Pagodinho)
6. **CADA UM NO SEU CADA UM**
(Carica / Prateado)
Participação especial: Ivan Milanez
7. **ALÔ, MUNDO**
(Sylvio da Silva)
8. **FRIO DE UMA SOLIDÃO**
(Mauro Diniz / Zeca Pagodinho)
9. **JIBOIA COMEU O BOI**
(Beto Sem Braço / João Quadrado)
10. **MÃOS**
(Almir Guineto / Carlos Sena / Simões PQD)
11. **VELHAS COMPANHEIRAS**
(Monarco)
PERDÃO, MEU BEM
(Cartola)
VIVO MUITO BEM
(Alcides Malandro Histórico)
ACADEMIA DO SAMBA
(Chico Santana)
Participação especial:
Velha Guarda da Portela
12. **PAREI E PENSEI**
(Marreco da Gávea / Maurição /
Robertinho Devagar / Souza do Banjo)
13. **O ELO**
(Carlos Sena / Serginho Meriti)

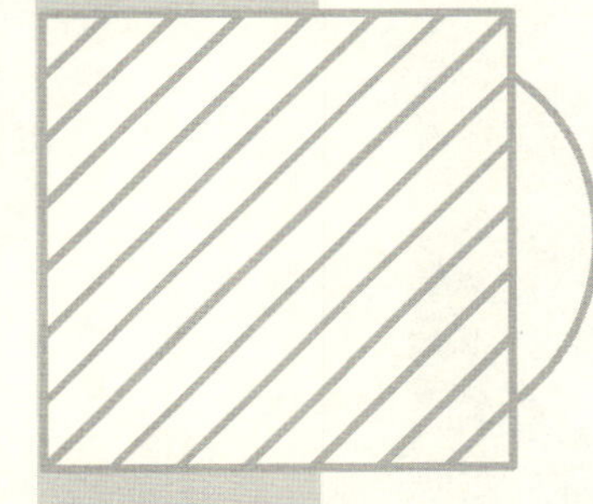

DISCO 8

ALÔ, MUNDO (1993)
Gravadora: BMG
Produção: Jorge Cardoso
Projeto Gráfico: Ruth Freihof
Fotos: Sergio Pagano

Com Arlindo Cruz e Beth Carvalho

ALÔ, MUNDO (1993)

Neste disco aparece um novo personagem que iria ganhar lugar cativo na obra e, especialmente, na vida de Zeca Pagodinho: Xerém. Esse distrito do município de Duque de Caxias, na Baixada Fluminense, fica perto da subida para a região serrana do estado do Rio de Janeiro. É conhecido por abrigar os campos de futebol do Tigres e do Duque de Caxias, times da região, e também o Centro de Treinamento do Fluminense. Além disso, tem um polo da Universidade Federal do Rio de Janeiro (UFRJ) e uma unidade do Inmetro. Mas Xerém só entrou mesmo no mapa quando virou o lugar onde morava Zeca Pagodinho.

Em 1990, quando seu filho Eduardo tinha apenas 2 anos, Zeca tomou uma atitude radical: trocou a casa em Cascadura por um sítio em Xerém. Foi de mala e cuia com a família morar lá. O cantor sempre gostou da vida rural, e um dos objetivos era proporcionar aos filhos uma infância com pé no chão, brincadeiras na rua, contato com os animais. E bicho não faltava na nova casa: lá tinha porco, boi, cavalo, galinha d'Angola, cachorro, gato e marreco. Alguns com direito a nome próprio, como o touro Jean Pierre, a vaca Érica e o pato Janjão – este último já teria até chorado de emoção ao reencontrar o dono depois de ter sido levado por um vizinho.

Essas são histórias de Xerém, cultivadas por Zeca nos 12 anos em que viveu lá. Em 2002, resolveu ir para a Barra da Tijuca, já que os filhos estavam crescendo e o distrito de Caxias não dava mais conta de abrigar os estudos de Eduardo, Louiz e Elisa. Mas o cantor não deixou de lado a casa na região. Os bares continuaram sendo frequentados, em papos regados a cerveja; as cabritadas não deixaram de acontecer, ocasião perfeita para os compositores que queriam mostrar sambas novos, embaixo do famoso jaqueirão; e os amigos mantiveram seu prestígio.

Um deles, Espingarda, é uma das referências a Xerém no disco *Alô, Mundo*. Ele era uma espécie de "faz-tudo" de Zeca nesse período e acabou entrando na parceria da música "Mandei um toque", ao lado do patrão e de Serginho Procópio. Outra citação ao município vem na faixa "Ai que saudade do meu amor", parceria de Zeca com Arlindo:

Andei por aí, pra lá e pra cá
Rodei Cachambi, parei no Irajá
Quase me perdi pra lá de Xerém
Meu bem não pintou
Ai que saudade do meu amor

Estas são as referências explícitas ao distrito de Caxias, mas um certo toque rural também pode ser percebido em outras faixas, como "Moenda velha" (Moenda velha / No engenho novo / Bota o caldo de cana / Pinga boa pr'esse povo / Cachaça pura, aguardente) e "Jiboia comeu o boi" (No varandão da casa grande / Houve uma reunião / Pois sumiu o boi malhado, gado estimado / Orgulho da produção / Coronel fazendeiro / Convocou todos os vaqueiros / Pra saber do paradeiro / De malhado campeão).

Esta última música é do repertório de Beto Sem Braço, que morreu de tuberculose poucos meses antes do lançamento de *Alô, Mundo*. Em sua homenagem, Zeca gravou a triste "O elo", feita por Serginho Meriti e Carlos Sena para relembrar o amigo:

O nome dele é Beto Sem Braço
De quem cantando assim falo um pedaço
Laudenir é a ti que me refiro, Casemiro
Pois Casemiro já é nome de poeta
E poesia sempre foi a sua meta

Além disso, Zeca ainda dedicou o disco ao amigo, registrando no encarte sua admiração: "Ele soube ensinar, não só a mim como a tantos outros, a arte de compor, improvisar e ser o amigo e companheiro dos nossos passos e compassos."

Esse disco já tem o dedo de um novo produtor, Jorge Cardoso, que substituiu Ivan Paulo. Para a seleção de repertório, Cardoso resolveu fazer um encontro de compositores num clube, no Centro. O menino João Eduardo, de 19 anos, foi tentar a sorte e levou algumas de suas composições. Fera no cavaco, começou a tocar na roda, acompanhando os outros autores que mostravam suas obras. Ao fim do dia, depois de gastar o dedo no cavaquinho, veio a recompensa. Jorge Cardoso chegou para ele e disse: "Olha, talvez não entre nenhuma música sua no disco. Mas eu queria te chamar para tocar na gravação."

O rapaz participou da faixa "Moenda velha", que seria a primeira gravação de sua carreira como músico – nos créditos do disco está registrado: Dudu do Cavaco. Semanas depois, estava se recuperando de um domingo cheio, quando tinha tocado com Pedrinho da Flor na Favela da Varginha, em Manguinhos, e com Dicró em Ramos. O telefone tocou: era um convite para participar da banda que viajaria na turnê de *Alô, Mundo*. Foi o começo

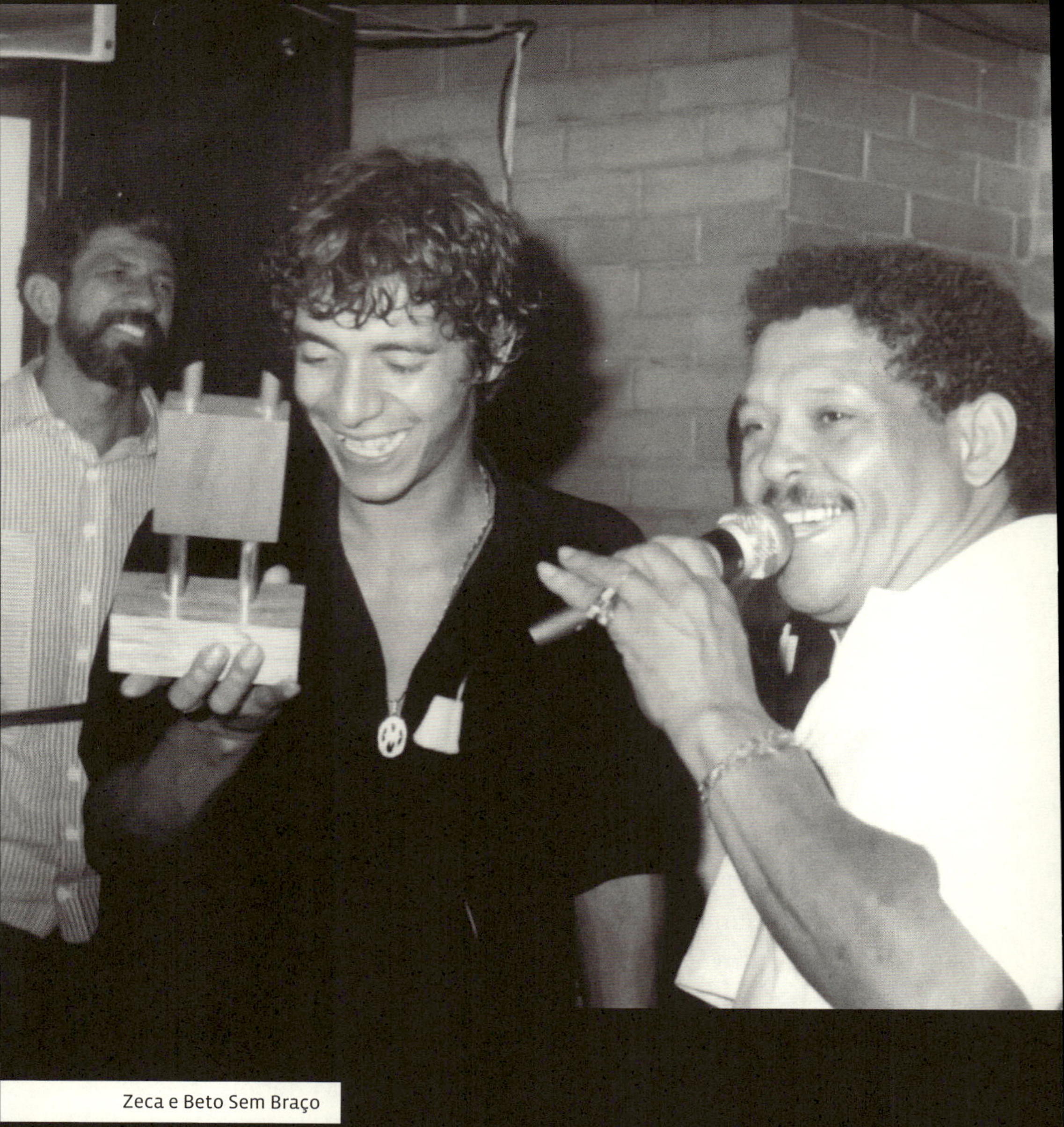
Zeca e Beto Sem Braço

da trajetória desse que se tornaria um dos novos parceiros de Zeca: Dudu Nobre.

Logo depois de gravar o disco e ver que a gravadora não estava muito interessada em divulgá-lo, Zeca percebeu que a condução de sua carreira precisava de um perfil mais profissional. Até então, cuidavam de seus negócios o irmão Meco, o primo Cláudio e outros conhecidos, num esquema meio amador. O cantor então convidou Nei Barbosa, que já tinha trabalhado com Beth Carvalho, para ser seu empresário: “Nei, você quer seu meu patrão?”, disse Zeca ao telefone. O convite foi prontamente aceito e Nei Barbosa começou a dar uma estrutura maior para o cantor mostrar seu trabalho. Uma das medidas foi chamar Túlio Feliciano para dirigir os shows, que passaram a ter roteiro, figurino e ensaios mais frequentes. Outro pepino que o empresário enfrentou logo no início foi encontrar uma gravadora – já que nem Zeca nem a BMG tinham interesse na renovação do contrato. Mas logo apareceu a Polygram, que fechou para gravar o novo trabalho do sambista.

A turnê de *Alô, Mundo* durou bastante tempo, quase dois anos, já que em 1994 Zeca não lançou disco de carreira. Foi um bom momento para fazer uma reformulação na banda, que recebeu novos integrantes além de Dudu Nobre. Com tanto tempo juntos na estrada, viajando de ônibus por todo o Brasil, o cantor e seus músicos ganharam ainda mais afinidade. Era um momento ímpar em sua carreira: nova gravadora, empresário chegando, banda reformulada, um diretor de shows e muita vontade de mostrar seu samba. Tinha chegado o momento da ressurreição de Zeca Pagodinho.

Zeca Pagodinho
SAMBA
PRAS
MOÇAS

9º CAPÍTULO

SAMBA PRAS MOÇAS (1995)

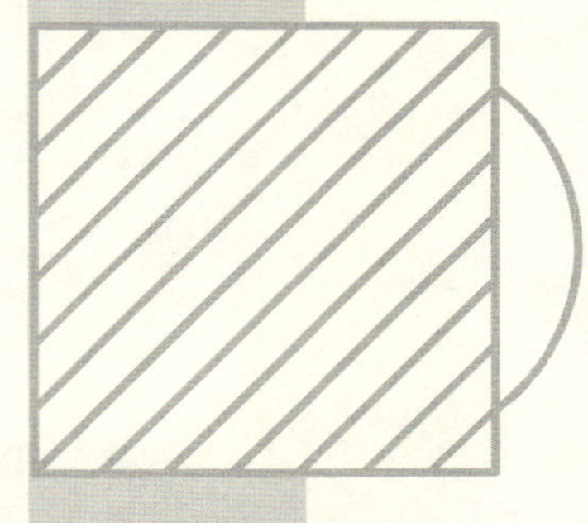

DISCO 9

SAMBA PRAS MOÇAS (1995)
Gravadora: Polygram
Produção: Rildo Hora
Capa: Gê Alves Pinto e André Teixeira
Fotos: Wilton Montenegro

1. **SAMBA PRAS MOÇAS**
(Roque Ferreira / Grazielle)
2. **SE EU SORRIR, TU NÃO PODES CHORAR**
(Zeca Pagodinho / Martinho da Vila)
3. **JÁ MANDEI BOTAR DENDÊ**
(Zeca Pagodinho / Arlindo Cruz / Maurição)
4. **O BICHO QUE DEU**
(Nilton Campolino / Tio Hélio)
5. **VOU BOTAR TEU NOME NA MACUMBA**
(Zeca Pagodinho / Dudu Nobre)
6. **PURURUCA**
(Barbeirinho do Jacarezinho / Marcos Diniz)
7. **À DISTÂNCIA**
(Almir Guineto / Mazinho Xerife / Carlos Sena)
8. **GUIOMAR**
(Nei Lopes)
9. **DEPOIS DO TEMPORAL**
(Zeca Pagodinho / Beto Sem Braço)
10. **PAGODE DA DONA DIDI**
(Zeca Pagodinho)
11. **O SAMBA NUNCA FOI DE ARRUAÇA**
(Monarco / Ratinho)
12. **REQUEBRA, MORENA**
(Mauro Duarte / Paulo César Pinheiro)
13. **PISA COMO EU PISEI**
(Beto Sem Braço / Aluisio Machado / Zeca Pagodinho)
BRINCADEIRA TEM HORA
(Beto Sem Braço / Zeca Pagodinho)
QUANDO EU CONTAR (IAIÁ)
(Serginho Meriti / Beto Sem Braço)

Assinatura de contrato com a PolyGram, ao lado do presidente Marcelo Castello Branco

SAMBA PRAS MOÇAS (1995)

Se este livro fosse uma obra de ficção e Zeca Pagodinho, o mocinho, poderíamos dizer que este é o capítulo do *turning point*, o grande momento da virada do protagonista. *Samba pras Moças* é o disco que marca a guinada na carreira do sambista, que a partir de então seria reconhecido como um dos grandes da música popular brasileira. E, como em todo romance que se preze, essa reviravolta acontece a partir da entrada de dois novos personagens na trama: Rildo Hora e Max Pierre.

Para se ter uma ideia da importância desses nomes, ainda hoje, quase 20 anos depois do lançamento de *Samba pras Moças*, eles são os pilares de tudo que Zeca faz artisticamente. Mas, lá em 1995, eram apenas uma aposta. Max Pierre era o diretor artístico da Polygram (que mais tarde se chamaria Universal) e estava em busca de novos nomes para a gravadora. O empresário Nei Barbosa apareceu oferecendo Zeca Pagodinho e Max achou que poderia fazer um bom trabalho com ele. Contrato fechado, era hora de pensar num produtor para o disco. Aí surgiu naturalmente o nome de Rildo Hora. Profissional experimentado, com trabalhos de sucesso com Martinho da Vila e Beth Carvalho, Rildo parecia ser o produtor ideal para dar um "peso" maior ao samba de Zeca, em termos musicais. E assim foi feito.

Aqui é importante fazer um parêntese para se debruçar com mais detalhes sobre a importância que cada um desses nomes teve na carreira do sambista. Max Pierre, como diretor artístico, era o "dono do cheque". Foi ele que bancou as produções grandiosas dos discos de Zeca Pagodinho numa época em que o samba carioca não estava sendo tão bem tratado nas gravadoras. Além disso, foi o estrategista desse novo momento do artista, pensando na melhor forma de divulgação, nos programas em que ele deveria aparecer, colocando músicas em novelas, etc.

Mesmo depois de sair da gravadora, Max Pierre continuou próximo de Zeca, seja no lançamento do selo Zeca Pagodiscos ou em outros projetos paralelos. Max conta que não foi fácil se aproximar do cantor, mas que um episódio o ajudou nessa "conquista". Certa vez, Zeca estava escolhendo o repertório de um de seus discos e marcou um encontro com o diretor artístico, mas não apareceu. O cantor então ligou para pedir desculpas e Max perguntou onde ele estava:

– Eu estou em Xerém – disse Zeca.

– Então eu vou aí te encontrar para a gente ver as músicas do disco novo.

– Mas você vem aqui em Xerém?! Você conhece isso aqui? É tudo muito simples.

– Não tem problema, estou indo praí.

Quando Max, até então um "importante executivo de gravadora", se dispôs a ir a Xerém e ficou à vontade por lá, ganhou Zeca. Aos poucos, foi percebendo qual era o grande diferencial do artista que tinha nas mãos: "Ele é incrível por sua absoluta indiferença ao sucesso, eu nunca vi isso em artista nenhum. Outro dia fui entregar um material para o Zeca e o encontrei num quiosque, sem camisa, batendo papo com um monte de gente. Aí ele mandou pegar um porco em algum lugar, botou no forno e depois foi servir mesa por mesa. Em geral, os artistas se escondem das pessoas, mas o Zeca não; ele conversa, se o fã é inconveniente ele briga... Acho que vem daí a adoração de todo mundo por ele."

Mas de nada adiantava ter esse contato com o público e contar com um diretor artístico que liberasse o dinheiro para a produção, se não houvesse um bom produtor que imprimisse aos discos de Zeca uma nova sonoridade. E é aí que sobressai a importância de Rildo Hora. O produtor trouxe para o samba uma roupagem mais orquestral, com cordas e sopros, além de introduções marcantes, com arranjos trabalhados. Rildo já vinha experimentando algo parecido nos discos de Martinho da Vila, mas é com Zeca que atinge seu auge.

Uma coisa de que o sambista sempre fez questão era manter a batucada. Mas isso nunca foi problema para Rildo Hora, que gosta dos desenhos percussivos. Seguindo essa condição inicial, o produtor podia colocar em ação o seu laboratório de sons. "O Rildo põe muito metal e teclado nos arranjos, mas não tem problema, dá até uma roupagem bacana para o samba. Pode botar o que quiser, desde que não tire a batucada, os violões de 7 cordas, o cavaquinho, a cuíca e o agogô. A pancada come firme nos meus discos"[23], diz Zeca.

E foi seguindo essa linha que Rildo criou alguns dos arranjos mais elaborados da discografia de samba, como os de "Verdade", "Jura" e "Água da minha sede" (além, é claro, de "Samba pras moças", o marco inaugural desta história toda). Eles trazem uma forte percussão, centrada nos instrumentos pesados, como caixas e surdos, deixando os leves, como os tamborins, em segundo plano; ao fundo, cordas e sopros fazem a base, mas sem predominar sobre os sons percussivos; e as introduções usam fortemente violões e cavaquinhos.

23. GAVIN, Charles. "O som do vinil". Canal Brasil, Rio de Janeiro, 18 de agosto de 2011 (programa de TV).

"Quando eu faço um disco de samba, eu coloco a voz na frente, com o coro, a batucada e a harmonia. Lá longe, fica a orquestra, como se fosse na antessala, pedindo licença para entrar. Aí o negócio fica chique. Mas tem que ter muita percussão, tem que ter peso. Por isso a música entra 'no morro', com as caixas, mas também pode tocar no Theatro Municipal, com seus violinos", conta Rildo.

Além disso, outro elemento que começa a aparecer nos discos de Zeca é a gaita, instrumento que tem Rildo Hora como um de seus virtuoses. Pronto, estão lançadas as bases do que foi chamado de "samba sinfônico". E é nesse berço, mais do que esplêndido, que Zeca Pagodinho vai deitar sua voz, para embalar a vida de milhões de brasileiros.

A primeira música a estourar foi mesmo "Samba pras moças", que só entrou no disco quando o repertório já estava todo definido. Zeca foi à casa de Rildo Hora tirar o tom de algumas canções, quando o produtor mostrou a novidade para ele numa fita cassete. O cantor adorou e eles excluíram uma das faixas para colocar a composição de Roque Ferreira e Grazielle. Àquela altura, o nome da música era "Meu candiá". Foi Rildo quem pediu aos autores que mudassem para "Samba pras moças", porque achou que casaria melhor com a nova fase de Zeca.

Meu candiá incandiou
Eu vim pro samba
Vim sambar com o meu amor
Incandeia, incandeia
Incandeia, incandeia
Incandeia, incandeia
Meu candiá
Curió bebeu a água
Mas ainda tem coco
Mel de engenho com cachaça

E alegria um pouco
Morena que tá sambando
Não deixa ninguém sambar
Meu amor tá perguntando
Se o samba é pras moças
Se o samba é de moça só
Se o samba é de moça

Essa era a primeira vez de Roque Ferreira nos discos de Zeca (depois ele ainda daria outros sucessos para o cantor, como "Água da minha sede" e "Letreiro"). Mas o disco *Samba pras Moças* também trazia os compositores do começo de carreira, como Tio Hélio, que em parceria com Campolino fez "O bicho que deu". Essa música é interessante porque faz lembrar um período curioso da vida de Zeca: quando ele trabalhou como apontador do jogo do bicho (ou "corretor zoológico", como gosta de dizer).

Ô, bicheiro, qual é o grupo do talão?
Quero ver a minha sorte na palma da tua mão
O "1" deu no Avestruz, começou a jogação
E o "2" já deu na águia, que é bicho do patrão
Mas o "3" no burro, quando empaca é turrão
O "4" na borboleta, quando voa faz verão
O "5" deu no cachorro, tem apelido de cão
E o "6" já deu na cabra, que dá leite pro cristão

A música, claro, não para por aí, desfiando todos os números e os animais do jogo, até o 25, a vaca. No final da faixa, nos improvisos, um aviso que Zeca deve ter dado a muitos clientes de sua banca: "Vai devagar, quem joga com os olhos só ganha remela!" O sambista sempre foi fascinado pelas apostas – até hoje, ele tem o costume de fazer uma "fezinha", quase diariamente. E a temática dos jogos de azar não é novidade em sua discografia: no primeiro disco já havia a faixa "Jogo de caipira", de Nei Lopes e Sereno:

Isso aqui tá um jogo de caipira
Quem tem bota banca, parceiro
Quem não tem se vira
Nem todo pau que boia é jangada
Quem põe pobre pra frente é topada
Violino de pobre é rabeca
Calça curta de velho é cueca
Quem engorda leitão é farelo
Quem dá soco no prego é martelo
Não adianta choro, parceiro
Que nesse jogo só ganha o banqueiro

E vem dessa época outra faixa de *Samba pras Moças*. Parceria de Zeca com Beto Sem Braço, "Depois do temporal" virou um grande sucesso, com uma letra belíssima e uma pegada de partido-alto:

Depois do temporal a lua cheia passeou no céu
No céu, a lua cheia passeou, passeou
Vi São Jorge guerreiro, com sua lança de prata
Nos livra da vida ingrata e de tudo quanto é mau
Dos falsos perfumes e da faca de dois gumes
Nos dê como lenitivo algo muito especial

Beto Sem Braço tinha feito a primeira parte dessa música e dado para Ratinho completar. Mas o imperiano não ficou muito satisfeito com a complementação do parceiro e mostrou a canção para Zeca, num dia em que estavam em Irajá, em frente ao clube Vermelho e Preto. Zeca tirou de sua bolsa um lápis, apoiou o pedaço de papel no capô de um carro e rabiscou os versos da segunda parte. Quando terminou, leu para Beto Sem Braço, que exclamou: "É, acho que a segunda do Ratinho dançou...!"

Essa facilidade que Zeca tinha para compor tem grandes exemplos nesse disco: quase metade das faixas tem sua assinatura. São sete canções de Zeca e diferentes parceiros – alguns antigos, como Sem Braço ("Pisa como eu pisei" e "Brincadeira tem hora") e Arlindo Cruz ("Já mandei botar dendê"); outros novos, como Dudu Nobre (no sucesso "Vou botar teu nome na macumba"); e outros bissextos, como Martinho da Vila (em "Se eu sorrir tu não pode chorar"). Tem até um caso raríssimo da vida de compositor de Zeca: uma música que assina sozinho, "Pagode da Dona Didi".

Sete músicas de Zeca Pagodinho num mesmo disco é algo que o público nunca mais veria. Com *Samba pras Moças*, a MPB ganharia um novo astro, mas perderia um ótimo compositor. A partir dali, os momentos em que ele sentaria para fazer música se tornariam cada vez mais raros. Os parceiros (e o próprio Zeca) enumeram várias razões para isso, e aqui nos cabe elencar várias delas – nossa teoria é que não há uma explicação definitiva, mas vários fatores concomitantes que contribuíram para diminuir a frequência da pena de Zeca.

Um dos motivos tem a ver com a generosidade do sambista. Com o sucesso de sua carreira, emplacar uma música em seus discos virou uma mina de ouro, garantia de um bom dinheiro entrando na conta, resolvendo a vida de muitos compositores. A partir daí, Zeca tenta colocar a maior quantidade possível de nomes assinando faixas em seus LPs, para que todos possam "repartir o bolo". Muitas vezes tirou músicas suas para encaixar um amigo que ficou de fora. Outras vezes reduziu a participação de compositores que estavam com muitas na lista, para dar vez a outro que estava gravando pouco recentemente. Com o tempo, fechar o repertório dos discos de Zeca virou um quebra-

-cabeça: além da qualidade, era preciso equilibrar os nomes que seriam gravados.

Outra questão que influenciou nessa época foi a mudança para Xerém. Vivendo na Baixada Fluminense, Zeca tinha menos contato com seus parceiros musicais, o que dificultava o nascimento de novas canções. Mas quando se reunia no sítio com Arlindo Cruz ou Dudu Nobre, por exemplo, era certo sair um samba novo.

Mas a mudança que mais interferiu em seu lado compositor não foi geográfica: foi profissional e financeira. O sucesso e o dinheiro podem ter sido dois motivos que atrapalharam o lado criativo do artista. O próprio Zeca conta que um colega de uma editora, onde volta e meia ia receber seus direitos autorais, falava para ele: "Pra que você quer dinheiro? Sambista tem que viver duro, a mulher botar para fora de casa, ficar esperando ônibus de madrugada, para poder ter inspiração." Zeca confirma a teoria: "O lado artista sufoca o compositor. Em primeiro lugar, não sobra tempo: são tantos compromissos que é difícil conseguir parar para compor. E, depois, falta a inspiração. Compositor tem que ser colocado pra fora de casa pela mulher porque não levou o dinheiro da feira. Isso rende música."[24]

Zeca podia não ter tanta inspiração para compor novas letras, mas estava inspiradíssimo na noite do dia 24 de julho de 1995, quando foi a principal atração do *Jô Soares onze e meia*, programa do humorista no SBT. Nesta entrevista, ao contrário da feita por Leda Nagle nove anos antes, o cantor está bem à vontade. Senta na cadeira já testando o microfone e, ao ter o visual elogiado por Jô (o mesmo que exibe na capa do disco *Samba pras Moças*, um colete listrado em branco e creme sobre uma camisa preta), manda na lata: "Quer casar comigo?" Jô Soares brinca com o entrevistado e pergunta quantas vezes ele já se casou. "Graças a Deus uma vez só, e pretendo ficar com ela a vida inteira", disse, com um sorriso no rosto,

24. ANGÉLICA. "Estrelas". TV Globo, Rio de Janeiro, 3 de agosto de 2013 (programa de TV).

pedindo aplausos para a plateia. Pronto, com 25 segundos de papo, Zeca já tinha conquistado o público, que seguiu no clima "risadas e aplausos" até o fim.

A bebida, claro, foi um dos assuntos da conversa. Depois de um papo sobre virgindade, em que Zeca faz uma brincadeira com o título do disco *Samba pras Moças*, ele diz: "Você está diferente, Jô!" E o apresentador retruca: "Eu tô diferente? É que você está sóbrio hoje!" Foi a senha para Zeca pedir um uísque ao garçom Alex – que traz um copo de cerveja. O que Jô entendeu como um engano de seu assistente, na verdade, foi um pedido da produção do sambista para que não servisse uísque a ele durante o bate-papo.

Depois de "molhar a palavra", Zeca começa a falar dos empregos que teve antes da fama, como o de servir cafezinho numa repartição pública. "No primeiro dia, eu já fui sem dormir. E equilibrar uma bandeja com dois bules e copos sem dormir é complicado... Queimei a mão de todo mundo. As deles e as minhas", contou Zeca. "Eu implorei pra me mandarem embora, mas meu patrão dizia que eu era o melhor empregado que tinha lá. Mas não era possível! Segunda-feira eu não ia; terça eu chegava ao meio-dia... Quarta e quinta eu trabalhava, mas na sexta-feira saía cedo..."

Zeca contou ainda da decepção com a viagem a Nova York ("Nunca mais vou, não dá pra ir a um lugar onde só se pode beber depois do meio-dia") e do dia em que cortou o dedo ("Vi o quarto todo cheio de sangue e perguntei à minha mulher se ela estava 'naqueles dias'"). Foi um show de empatia com o público, que se divertiu durante todos os 19 minutos de entrevista. Ao final do papo, o cantor achou que tinha agradado aos 300 convidados que assistiram à gravação nos estúdios do SBT no Sumaré. O que não podia imaginar era que a repercussão de sua participação no programa tornaria sua figura ainda mais simpática para milhões de pessoas em todo o país. Zeca se instalou no imaginário popular do brasileiro como uma pessoa carismática, divertida e ligada à boa música. E de lá nunca mais saiu.

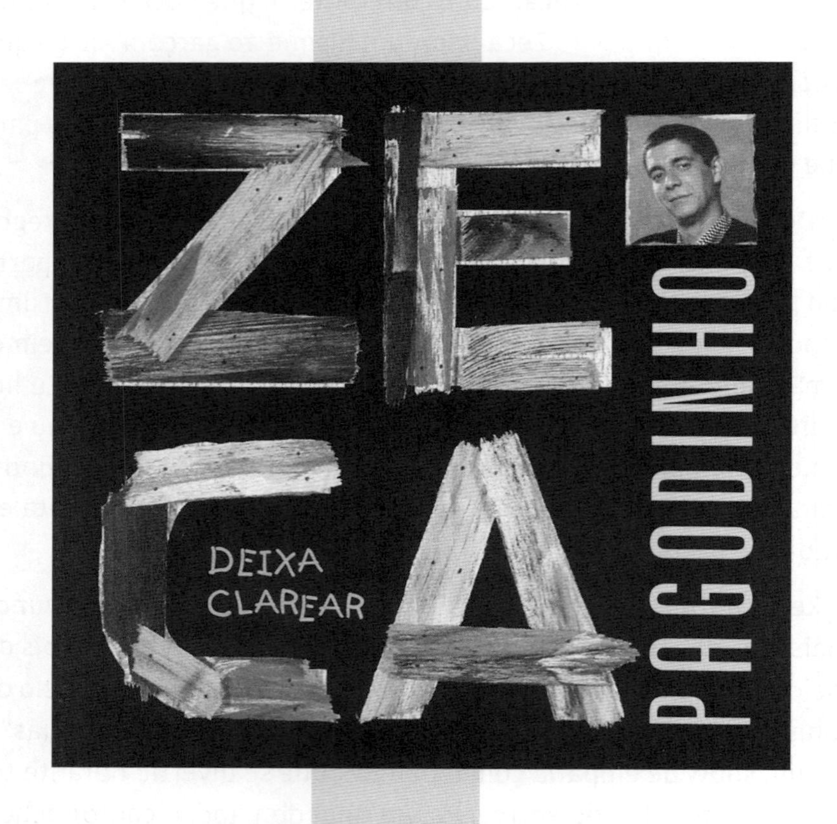
ZECA
DEIXA
CLAREAR
PAGODINHO

10º CAPÍTULO

DEIXA CLAREAR (1996)

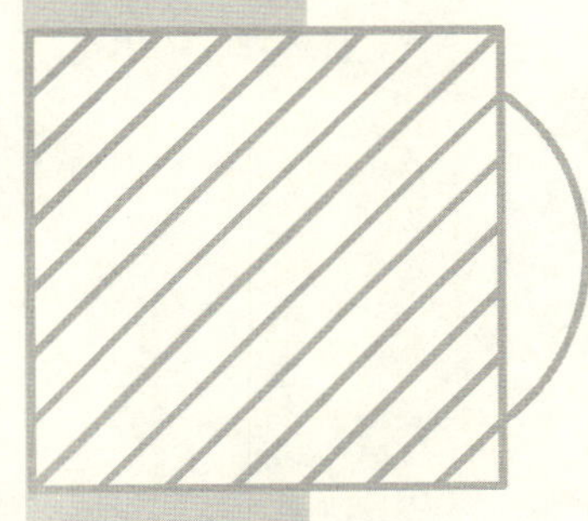

DISCO 10

DEIXA CLAREAR (1996)
Gravadora: Polygram
Produção: Rildo Hora
Capa: Elifas Andreato
Fotos: Bia Parreiras

1. **VERDADE**
(Nelson Rufino / Carlinhos Santana)
2. **DEIXA CLAREAR**
(Arlindo Cruz / Sombrinha / Marquinho PQD)
3. **COLETE CURTO**
(Tio Hélio / Nilton Campolino)
NEGA DO PATRÃO
(Otacílio da Mangueira / Ary do Cavaco)
4. **VIVO ISOLADO DO MUNDO**
(Alcides Dias Lopes)
5. **NÃO SOU MAIS DISSO**
(Zeca Pagodinho / Jorge Aragão)
6. **CONFLITO**
(Barbeirinho do Jacarezinho / Marcos Diniz)
7. **DONA ENCRENCA**
(Barbeirinho do Jacarezinho / Marcos Diniz)
8. **VELHO DITADO**
(Dudu Nobre / Luizinho SP)
Participação especial: Dudu Nobre
9. **JILÓ COM PIMENTA**
(Arlindo Cruz / Zeca Pagodinho)
10. **VOU PROCURAR ESQUECER**
(Monarco / Ratinho)
Participação especial:
Velha Guarda da Portela
11. **11 OLHOS**
(Almir Guineto / Luverci Ernesto / Carlos Sena)
12. **BOI**
(Beto Sem Braço / PC Santos)

DEIXA CLAREAR (1996)

A fase era mesmo boa para o samba carioca. Martinho da Vila vendia mais de 1 milhão de cópias de seu ótimo *Tá Delícia, Tá Gostoso*. Paulinho da Viola estava prestes a ser incensado pela crítica com o espetacular *Bebadosamba*. Com os dois nomes fortes do gênero em alta, parecia não haver muito espaço para um terceiro sambista de peso. Mas Zeca Pagodinho lançou *Deixa Clarear*. E o tamanho do sucesso pode ser medido pelos versos a seguir:

Descobri que te amo demais
Descobri em você minha paz
Descobri, sem querer, a vida...
Verdade
Pra ganhar teu amor fiz mandinga
Fui à ginga de um bom capoeira
Dei rasteira na sua emoção
Com o teu coração, fiz zoeira
Fui à beira de um rio e você
Uma ceia com pão, vinho e flor
Uma luz pra guiar sua estrada

Na entrega perfeita do amor
Verdade

A música de abertura do novo CD (a esta altura, já podemos trocar a menção aos LPs pelas bolachinhas de um lado só que se tornam dominantes na indústria) é uma explosão nacional. Trazendo novamente as introduções orquestrais de Rildo Hora, vira um dos grandes sucessos da carreira de Zeca – daquelas músicas que tem cacife para abrir ou fechar qualquer show. O baiano Nelson Rufino já tinha aparecido duas vezes em discos do sambista: com "Gota de esperança", em *Patota de Cosme*, e com "Se tivesse dó" (parceria com o próprio Zeca), em *Jeito Moleque*. Nos dois casos, passou em branco – as músicas não aconteceram.

Mas o sucesso de "Verdade" deu o sinal verde para que Rufino ganhasse espaço quase fixo nos próximos discos – e depois disso vieram gravações de "O dono da dor", "Cadê meu amor" e "Uma prova de amor", todas com êxito, tornando-o um dos compositores prediletos do sambista carioca.

O disco *Deixa Clarear* marca ainda a primeira vez que Dudu Nobre participa de uma faixa como cantor, em "Velho ditado" – chamado por Zeca na gravação de Dudu do Cavaco. Essa música é resultado de uma preocupação de Dudu, depois de ter estourado com "Vou botar teu nome na macumba", no CD anterior. O sucesso foi grande, mas o garoto cismou que podiam achar que ele só tinha conseguido emplacar a canção porque era uma parceria dele com Zeca Pagodinho. Pronto: seu objetivo virou fazer uma música com outro parceiro, para mostrar que podia dar voos maiores. E resolveu isso com "Velho ditado", que era dele com Luizinho SP. Depois, como a cabeça só inventa motivo para aporrinhação, Dudu achou que era hora de fazer um samba sozinho, para provar que sabia fazer letra e melodia ao mesmo tempo. Daí surgiu "Posso até me apaixonar", que Zeca gravou no disco seguinte. E foi assim, de desafio em desafio, que Dudu Nobre foi produzindo sucessos em sequência para o mestre.

Se Dudu trazia esse ar de novidade, Zeca não se furtava de buscar no passado as pérolas da Velha Guarda da Portela. Um dos maiores sucessos do disco foi "Vivo isolado do mundo", composta nos anos 40 por Alcides Malandro Histórico. A música fez parte do repertório de Candeia nos anos 70 e voltou com força total nesta gravação de Zeca. E o sambista devia estar numa fase de "limpar a barra", já que gravou também "Não sou mais disso" (composta por ele e Jorge Aragão em 15 minutos, numa visita do amigo a Xerém). As duas músicas falam de um homem regenerado, que deixou a vida boêmia de lado e se dedica ao amor pela mulher:

Eu vivia isolado do mundo
Quando eu era vagabundo
Sem ter um amor
Hoje em dia eu me regenerei
Sou um chefe de família
Da mulher que amei
("Vivo isolado do mundo")

*****

Eu não sei se ela fez feitiço
Macumba ou coisa assim
Eu só sei que eu tô bem com ela
E a vida é melhor pra mim
Eu deixei de ser pé de cana
Eu deixei de ser vagabundo
Aumentei minha fé em Cristo
Sou benquisto por todo mundo
("Não sou mais disso")

O disco traz ainda outras canções que tocaram nas rádios, como a música-título, "Deixa clarear", e "Conflito". Festejando a boa fase, o produtor Rildo Hora fez uma bela declaração para o sambista, no encarte do CD:

> *A figura de Zeca me lembra a infância em Madureira, o Campo da Light, os ensaios da Portela comandados por Natal, a bola de gude, o Império Serrano (chegando para Vaz Lobo), as normalistas da Escola Carmela Dutra, o Cine Coliseu, o Haia e o Amorim, que serviam caldo de cana e pastel para a gente nova; chope e cachaça para os menos jovens. Fui criado ali, curtindo muito choro, samba e partido-alto. Zeca é uma síntese desses valores que guardo na lembrança e procuro não esquecer. Como diz um samba do Wilson das Neves e Paulo César Pinheiro, "conhece e conheceu quem faz samba bom"; representa o mundo bonito dos que vivem para servir a esse gênero musical carioca e de todos os brasileiros. Seu talento, reconhecido por todos, o coloca entre os melhores do gênero. Mesmo assim mantém a simplicidade, é pessoa amena e muito generosa.*
>
> *Gosto muito do resultado final desse trabalho. Os arranjos do Maestro Leonardo Bruno, Paulão e Mauro Diniz estão muito interessantes, a rapaziada da percussão se superou, passando muita energia para os arames (cavaco, violão, viola e banjo) e os músicos convidados.*
>
> *Valeu a pena ir várias vezes a Xerém para escolhermos o repertório. Naquela casa branquinha, o Zeca sempre prepara umas coisas gostosas para a gente comer (Max Pierre adorou a sopa de legumes), o caseiro Baixinho nos oferece um gole, dona Mônica e toda a família dão força, ao som dos passarinhos, sambas e sambas.*

Este grande momento que o Zeca está vivendo, fruto de seu amadurecimento como artista, pode servir como diretriz para os que estão chegando. A boa rima, o fraseado solto, a melodia rica, aprendeu com os iluminados. Sabe de cor uma infinidade de sambas dos mestres, ouviu muito, conhece todos. Tem mais. Toca em duas ou três posições no cavaquinho mas, se quiser, não deixa o samba parar. Faz isso na intimidade, com músicos e amigos mais chegados, como Paulão, Ratinho, Espingarda, Nei 'Empresário' Barbosa, em família.

Zeca, meu irmão, me leva num pagode desses...

RILDO HORA (setembro / 1996)

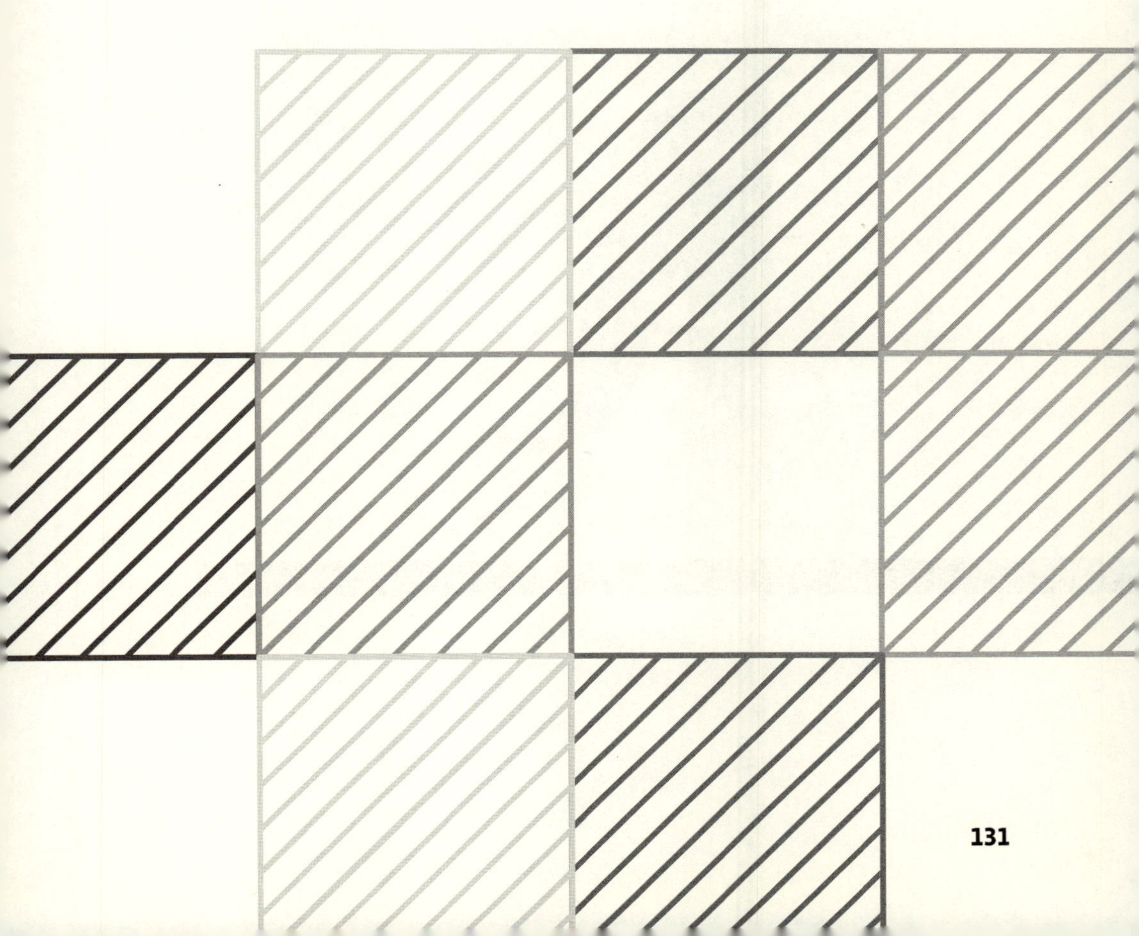

ZECA PAGODINHO

11º CAPÍTULO

HOJE É DIA DE FESTA (1997)

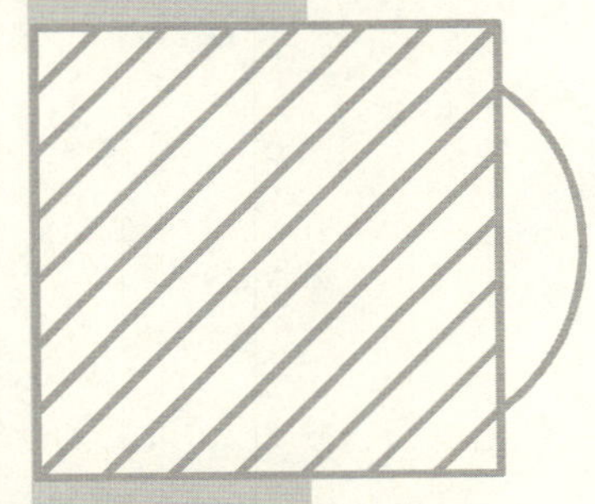

DISCO 11

HOJE É DIA DE FESTA (1997)
Gravadora: Polygram
Produção: Rildo Hora
Capa: Elifas Andreato
Fotos: Wilton Montenegro

1. **O DONO DA DOR**
   (Nelson Rufino)
2. **POSSO ATÉ ME APAIXONAR**
   (Dudu Nobre)
3. **FAIXA AMARELA**
   (Zeca Pagodinho / Jessé Pai / Luiz Carlos / Beto Gago)
4. **HOJE É DIA DE FESTA**
   (Efson)
5. **COCO DE CATOLÉ**
   (Beto Sem Braço / Joel Menezes)
6. **A SOGRA**
   (Zé Roberto)
7. **PROVA DE AMOR**
   (Arlindo Cruz, Sombrinha / Marquinhos PQD)
8. **LAMA NAS RUAS**
   (Almir Guineto / Zeca Pagodinho)
9. **PARABÓLICA**
   (Barbeirinho do Jacarezinho / Marcos Diniz / Luiz Grande)
10. **ÁGUA NO COCO**
    (Luiz Carlos da Vila / Maurição)
11. **NÃO FOI ELA**
    (Wilson Moreira / Nei Lopes)
12. **PRESENÇA INCERTA**
    (Monarco / Alcino Corrêa)
13. **NEGA DADIVOSA**
    (Bandeira Brasil / Serginho Procópio / Luiz Claudio Picolé)
14. **COM QUE ROUPA**
    (Noel Rosa)
    Participação especial: Caetano Veloso*

**Faixa gravada ao vivo no Baixo Polygram (Casa de Samba II)*

Zeca nos estúdios do SBT, com a primeira dama da TV brasileira Hebe Camargo

HOJE É DIA DE FESTA (1997)

Nessa fase de consolidação da carreira de Zeca muitas coisas mudaram. O show ganhou direção e cenários, o artista passou a ter um figurino, as gravações eram caras, a estrutura era muito maior. Além disso, a "embalagem" dos discos também requereu um cuidado especial. Na capa do disco anterior, *Deixa Clarear*, já se percebe um cuidado gráfico diferente. Mas é em *Hoje É Dia de Festa* que esse trabalho fica mais evidente.

O responsável por essa mudança foi o artista gráfico Elifas Andreato, que já havia feito encartes para quase todos os grandes nomes da música popular brasileira. Zeca se apaixonou por seu trabalho ao ver a capa do LP *Paulinho da Viola*, de 1978, que reproduz a fabricação de um instrumento – no caso, um violão que vai sendo construído aos poucos numa marcenaria com o auxílio das ferramentas. "Eu via sempre a assinatura do Elifas nas capas dos discos que ouvia. Mas a partir desse LP do Paulinho eu pensei: 'Esse cara é um gênio'"[25], lembra Zeca. Ao longo dos anos, Elifas Andreato faria outros trabalhos que viraram clássicos, como *Clementina e Convidados*, de Clementina de Jesus; *Tá*

25. RODRIGUES, João Rocha. "Elifas Andreato, um artista brasileiro" (documentário).

Delícia, Tá Gostoso, de Martinho da Vila; e *Ópera do Malandro*, de Chico Buarque.

Dono de um extenso currículo, o artista coloca entre os maiores trabalhos de sua carreira a capa amarela de *Hoje É Dia de Festa*. "Essa capa é muito especial. Eu resolvi homenagear o mais importante desenhista da imprensa brasileira, J. Carlos. E o Zeca foi muito generoso porque se dispôs a contracenar com os desenhos do J. Carlos, compreendendo sua importância. É uma das mais bonitas capas que fiz ao longo de todos esses anos"[26], conta Elifas.

O trabalho foi tão marcante que Elifas ganhou o privilégio de escrever no encarte do disco, explicando a homenagem a J. Carlos:

> *A capa deste CD é dedicada a J. Carlos (1884-1950), José Carlos de Brito e Cunha, o mais brilhante desenhista da imprensa brasileira em todos os tempos. Em 50 anos de carreira, publicou mais de 50.000 desenhos, inventariados por Cássio Loredano, com bolsa do Instituto RioArte.*
>
> *Foi colaborador das revistas O Tico-Tico, O Malho, Fon-Fon, Para Todos..., além de dirigir a revista Careta desde sua fundação, em 1908, na qual realizou trabalho admirável de cronista da vida carioca e brasileira da época.*
>
> *Seus desenhos registraram as guerras, as mazelas políticas, as agruras do povo, a vida da alta sociedade e, principalmente, a festa do carnaval carioca.*
>
> *Por isso, este CD de festa e samba deixa impressa a lembrança de seu imenso talento. Obrigado, Polygram, Zeca Pagodinho, maestro Rildo Hora, Cássio Loredano e herdeiros de J. Carlos, pela oportunidade.*
>
> *Elifas Andreato*

26. RODRIGUES, João Rocha. "Elifas Andreato, um artista brasileiro". (documentário)

Mas essa não é a única inscrição que aparece em *Hoje É Dia de Festa*. Zeca Pagodinho também deixa uma breve mensagem de agradecimento: "Nosso muito obrigado ao Magro pelo clima de festa e alto-astral no estúdio e à Velha Guarda da Portela pela dignidade que, mais uma vez, empresta ao nosso trabalho."

A menção à Velha Guarda da Portela mostra novamente a reverência do sambista pelos mestres. Mas o que chama a atenção é a importância dada a Magro, personagem que ainda não havia aparecido neste livro. Magro é assistente de estúdio da Companhia dos Técnicos e esteve em todos os discos de Zeca gravados lá. Além de providenciar as cervejas geladas para a turma, ainda deixava o astral lá em cima: sempre que ia ajeitar um microfone ou puxar um fio, entrava sambando, cantando, animado. Com isso, ganhou espaço no coração de Zeca e referências carinhosas nos discos (ele também aparece no encarte de *Deixa Clarear*).

Apesar de dar nome ao disco, "Hoje é dia de festa" não foi das faixas mais tocadas. Mas o CD rendeu alguns bons sucessos, entre eles "O dono da dor" (mais uma de Nelson Rufino) e "Faixa amarela" (do repertório do próprio Zeca). Outra canção marcante foi "Lama nas ruas", que tinha estourado em 1986 quando Almir Guineto a incluiu em seu quarto disco de carreira (que traz ainda "Caxambu" e "Mel na boca"), mas não tinha registro na voz de Zeca.

A composição foi feita pelos dois amigos numa noite "muito louca" na Serra da Cantareira. Chovia forte e Zeca queria ir encontrar uma namoradinha da época. Mas a menina se recusou, porque o lamaçal era grande no bairro, para tristeza do sambista. Ele então voltou para o quarto e viu que Almir estava fazendo uma melodia. Pediu para o amigo deixá-lo sozinho e colocou a letra, que nada mais é do que a "cantada" que tinha dado minutos antes.

Paulão em estúdio

Deixa desaguar tempestade
Inundar a cidade
Porque arde um sol dentro de nós
Queixas, sabes bem que não temos
E seremos serenos
Sentiremos prazer no tom da nossa voz
Veja o olhar de quem ama
Não reflete um drama, não
É a expressão mais sincera, sim
Vim pra provar que o amor
Quando é puro, desperta e alerta o mortal
Aí é que o bem vence o mal
Deixa a chuva cair, que bom tempo há de vir
Quando o amor decidir mudar o visual
Trazendo a paz no sol
Que importa se o tempo lá fora vai mal
Que importa
Se há tanta lama nas ruas
E o céu é deserto e sem brilho de luar
Se o clarão da luz do teu olhar vem me guiar
Conduz meus passos
Por onde quer que eu vá

O samba é um dos mais românticos de toda a carreira de Zeca. Naquela noite explosiva com Almir Guineto, aliás, os dois estavam dispostos a fazer diferente mesmo: compuseram até um rock, veja só, para ser gravado por Tim Maia. Mas o encontro dos sambistas com o Síndico acabou nunca se consumando.

Outra faixa marcante de *Hoje É Dia de Festa* foi “Posso até me apaixonar”, de Dudu Nobre. Essa música traz um diferencial para o repertório: diferentemente dos demais compositores que Zeca gravava, todos mais velhos ou seus contemporâneos, Dudu era de uma geração diferente. Com isso, trouxe uma linguagem mais moderna, com gírias do momento, que ajudaram também na penetração de Zeca Pagodinho entre o público mais jovem. Isso fica evidente nos versos da música:

> *Gosto que me enrosco*
> *Dum rabo de saia*
> *Quero carinho, quero cafuné*
> *Esse teu decote me tira o sossego*
> *Vem me dar um chamego, se você quiser*
> *O seu remelexo é um caso sério*
> *Esconde um mistério que eu vou desvendar*
> *Mas você, piteuzinho*
> *Faz logo um charminho pra me maltratar*
> *Não faz assim que eu posso até me apaixonar*
> *Faz assim que eu posso até me apaixonar*

A linguagem era tão diferente que houve até uma chiadeira quando Zeca decidiu gravar a música – e o diretor artístico Max Pierre, também com faro apurado, marcou em seu caderninho que ela era candidata a *hit*. Dudu conta que muita gente torceu o nariz para "esse negócio de minissaia". "Diziam que eu tinha que parar com aquilo, que não devia botar essas coisas nas músicas", conta o autor, que sempre quis usar a palavra "desalinho" em uma canção sua – e conseguiu nessa música, rimando com o maroto "umbiguinho".

Se Dudu ainda buscava sua afirmação como cantor e como compositor, uma outra figura importante que aparece nesse disco já tinha seu nome esculpido na história da MPB: Caetano Veloso. O baiano aparece na última faixa, "Com que roupa", na qual divide o microfone com Zeca. A música foi gravada para o projeto *Casa de samba 2* e acabou sendo usada também no disco do sambista.

Caetano teve importância nessa fase em que Zeca já era sucesso absoluto, mas ainda gerava alguma desconfiança nas plateias mais elitistas, naturalmente avessas ao samba, um gênero genuinamente popular. Neste ano de 1997, foi ao Teatro Rival assistir a um show de Zeca (e depois protagonizou uma saia justa no camarim, ao chegar para cumprimentar o sambista, que já tinha ido embora assim que saiu do palco). Na gravação de "Com que roupa", fez questão de elogiar o colega em um improviso final que ficou registrado na faixa: "As palavras e as notas de Noel Rosa na voz de Zeca Pagodinho... Isso é o Rio de Janeiro inteiro!"

A partir desse contato mais próximo com Zeca, Caetano Veloso espalhou aos quatro ventos que o sambista era um dos maiores artistas do país. "Neste último verão o disco que mais ouvi foi o do Zeca Pagodinho. Acho que o Zeca é o Rio de Janeiro de hoje. Ele faz o samba de verdade, que retrata a malandragem atual do Rio"[27], disse o baiano em março daquele ano. E Pagodinho dava mais um passo rumo à unanimidade nacional.

27. "Bambas se encontram para gravação de disco". *O Globo*, Rio de Janeiro, Segundo Caderno, página 5, 27 de março de 1997.

ZECA
Pagodinho

12º CAPÍTULO

ZECA PAGODINHO (1998)

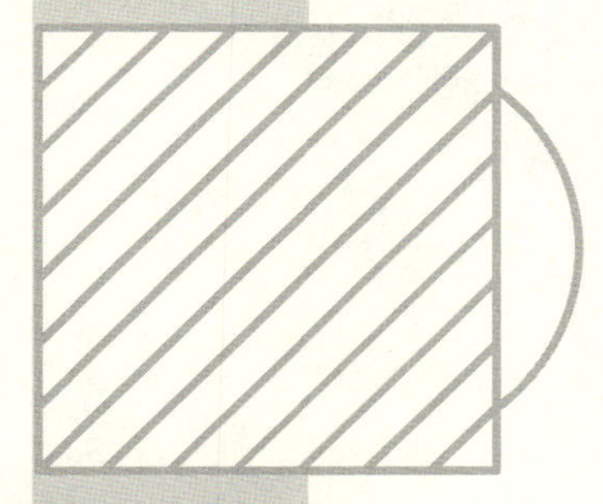

DISCO 12

ZECA PAGODINHO (1998)
Gravadora: Polygram
Produção: Rildo Hora
Capa e Projeto Gráfico: Elifas Andreato
Fotos: Wilton Montenegro

1. **SEU BALANCÊ**
(Paulinho Rezende / Toninho Geraes)
2. **VAI VADIAR**
(Monarco / Ratinho)
3. **MINHA FÉ**
(Murilão)
4. **CHICO NÃO VAI NA CURIMBA**
(Zeca Pagodinho / Dudu Nobre)
5. **TRISTEZA**
(Heitor dos Prazeres / João da Gente)
ALEGRIA TU TERÁS
(Antônio Caetano)
6. **PRA VOCÊ, MENINA**
(Almir Guineto / Luverci Ernesto)
7. **MARY LU**
(Barbeirinho do Jacarezinho / Luiz Grande / Marcos Diniz)
8. **SEM ESSA DE MALANDRO AGULHA**
(Jayme Vignoli / Aldir Blanc)
9. **AINDA É TEMPO PRA SER FELIZ**
(Arlindo Cruz / Sombra / Sombrinha)
10. **PRA AFASTAR A SOLIDÃO**
(Yvonne Lara / Délcio Carvalho)
11. **DESPENSA VAZIA**
(Jorginho Meriti / Luizinho)
12. **SONHO INFANTIL**
(Efson / Odibar)
13. **PAPEL PRINCIPAL**
(Almir Guineto / Luverci Ernesto / Dedé Paraiso)
14. **SAPOPEMBA E MAXAMBOMBA**
(Nei Lopes / Wilson Moreira)
15. **COROA AVANÇADA**
(Casquinha / Dolino)

Foto de divulgação de 1998 (foto: Wilton Montenegro/Polygram)

ZECA PAGODINHO (1998)

...De cuíca eu manjo,
Também vou de banjo,
Fiz das avenidas meu salão...
Fidalguia esbanjo
E danço com meu anjo:
Eu sou da Velha Guarda, meu irmão...

Os versos acima são do samba "Anjo da Velha Guarda", de Moacyr Luz e Aldir Blanc, feito em homenagem a Zeca Pagodinho. "A letra não cita o Zeca, mas foi feita pra ele. A inspiração veio na década de 1980 quando ele chegou de mansinho na roda de samba que o Monarco fazia no Lapases, na Lapa. Me impressionou a emoção e o carinho com que o Monarco o dedicou. Falei isso com o Aldir e depois soube que ele era afilhado da Velha Guarda, algo parecido e, então, saiu o samba", conta um dos autores, Moacyr Luz.

E como um ritual, estava lá, a sempre presente Velha Guarda da Portela. E, desta vez, com as gravações do antológico "Vai vadiar" de Monarco e Ratinho e em um *pot-pourri* com "Tristeza (A

Outra foto de divulgação de 1998 (foto: Wilton Montenegro/Polygram)

tristeza me persegue)", de Heitor dos Prazeres e João da Gente, e "Alegria tu terás", de Antônio Caetano.

Conhecido, informalmente, como "álbum branco", o disco intitulado *Zeca Pagodinho*, lançado em 98, é dedicado a Heitor dos Prazeres, a quem o sambista homenageia pelo ano de seu centenário. Nas frases escritas no encarte do LP, Pagodinho enaltece a participação do compositor na fundação da Portela junto a Paulo Benjamin de Oliveira e por ser ele também um "incansável guardião da cultura afro-brasileira". Foi bebendo da fonte da Velha Guarda que Zeca aprendeu a gostar de Heitor.

Para demonstrar um pouco mais sua admiração pela turma capitaneada por Monarco, o artista abre espaço no álbum para a regravação de um samba de um de seus componentes, Casquinha da Portela. "Coroa avançada", feito em parceria com Dolino, foi lançado no ano de 1975, no segundo volume da série *Partido em 5*. A comprovação de tal admiração vem com as seguintes palavras de Pagodinho: "Faço questão de ter a Velha Guarda sempre comigo, seja dividindo alguma faixa ou mesmo gravando composições de seus integrantes. Ela é um ícone do samba."

Para fazer meu samba
Eu arranjei um cavaco afinado
Arranjei um tamborim e uma cuíca boa
Mandei vir três mulatas lá do Morro da Gamboa
O samba começou
Era de noitinha
Mas raiou o dia
Até a minha sogra que estava na cozinha
Largou as panelas, caiu na folia
Minha sogra é
Cozinheira de forno e fogão
Quando ouve um pagode

Com Davi do Pandeiro e Casquinha (foto: Adriana Lins)

Esquece a obrigação
Logo entrando na roda de samba
Dizendo: "Salve a rapaziada
Vocês estão enganados comigo
Eu estou velha, mas não estou cansada"

Segundo o jornalista Arnaldo Jabor, "Zeca, com seu respeito e admiração, acaba tirando a Velha Guarda do gueto e prova que a grande música popular continua sendo feita na periferia"[28].

Por todos esses fatores seria ele realmente "Anjo da Velha Guarda"? Se Pagodinho é "anjo", uma coisa é certa, não é só da Velha Guarda, é da nova também. Prova disso é a gama de compositores novos que ele grava no decorrer da sua trajetória, impulsionando suas carreiras. Um dos exemplos é a entrada de Toninho Geraes neste novo trabalho. Toninho, mineiro de Belo Horizonte, embora já tivesse alguns sucessos nas vozes de Agepê e Martinho da Vila, ainda não tinha sua imagem celebrada no mercado. Ele, já há algum tempo, conhecia Zeca, pois também frequentava o Cacique de Ramos. Entretanto, só neste momento, emplaca uma composição no disco do sambista. "Cheguei ao Rio de Janeiro, em 1983, e uns dois anos depois, fui levado ao Cacique pelo Beto Sem Braço. Convivia com o Zeca, mas nunca tinha mostrado nenhum samba para ele. Em determinado momento, soube que ele estava escolhendo repertório e então fiz uma música, em parceria com Paulinho Resende. Gravei em um estudiozinho e levei para o Rildo, que não sabia dizer se o disco já estava 'fechado' já que o Pagodinho tinha em mãos um material pré-selecionado. Por via das dúvidas, o Rildo levou o samba para Xerém e chegando lá o Zeca tinha esquecido todas as fitas que recebera na casa onde ele ficava, na Barra da Tijuca. E então, ele falou: 'Zeca, eu tenho uma nova do Toninho que apareceu em cima da

28. JABOR, Arnaldo. "Pagodinho é o malandro contra os pilantras", *O Globo*, página 8, Segundo Caderno, 10 de fevereiro de 2004.

Com Monarco e Guaracy 7 Cordas (foto: Adriana Lins)

hora.' Ele ouviu a música e disse: 'A de trabalho nós já temos, agora vamos nos preocupar com as outras'", relata Geraes.

O samba em questão é "Seu balancê", sucesso que, até hoje, faz parte do repertório dos shows do artista.

Seu tempero me deixa bolado
É um mel misturado com dendê
No seu colo eu me embalo
Eu me embolo, até numa casinha de sapê
Como é lindo o bailado debaixo
Dessa sua saia godê
Quando roda no bamba-querer
Fazendo fuzuê
Minha deusa, esse seu encanto
Parece que vem do Ilê
Ou será de um jogo de jongo
Que fica no Colubandê
Eu só sei que o som do batuque
É um truque do seu balancê
Preta, cola comigo porque
Tô amando você

Este disco traz ainda sambas de autores como Aldir Blanc e Jayme Vignoli, com "Sem essa de malandro agulha"; Nei Lopes e Wilson Moreira em "Sapopemba e Maxambomba"; o Trio Calafrio (Marcos Diniz, Barbeirinho e Luiz Grande) com sua "Mary Lu", aquela que, como diz o samba, "ganhou cacareco pra xuxu, fazendo faxina pra gente granfina da Zona Sul"; um inspirado Arlindo Cruz, em parceria com Sombra e Sombrinha, com "Ainda há tempo de ser feliz" – que tem a participação luxuosa de Beth Carvalho; Dona Ivone e Délcio Carvalho em "Pra afastar a solidão" e outros mais.

Zeca, que a esta altura dá mais vazão ao seu lado intérprete, assina apenas uma, a divertida "Chico não vai na Curimba", uma parceria com Dudu Nobre que, como o título sugere, tem como protagonista o Chico, *roadie* da banda de Pagodinho na época.

"Teve um momento em que o Zeca achou que eu precisava de uma orientação espiritual e queria me levar na macumba. Todo mundo do samba é da macumba, mas eu sou autêntico, então, o Zeca me aceitou e disse: 'Vamos fazer uma música pra ele'", conta o *roadie*. Assim, Chico, que foi criado por irmão e cunhada evangélicos ferrenhos, ganhou o samba e para fazer jus se manteve no propósito, "não vai na curimba, não quer curimbar".

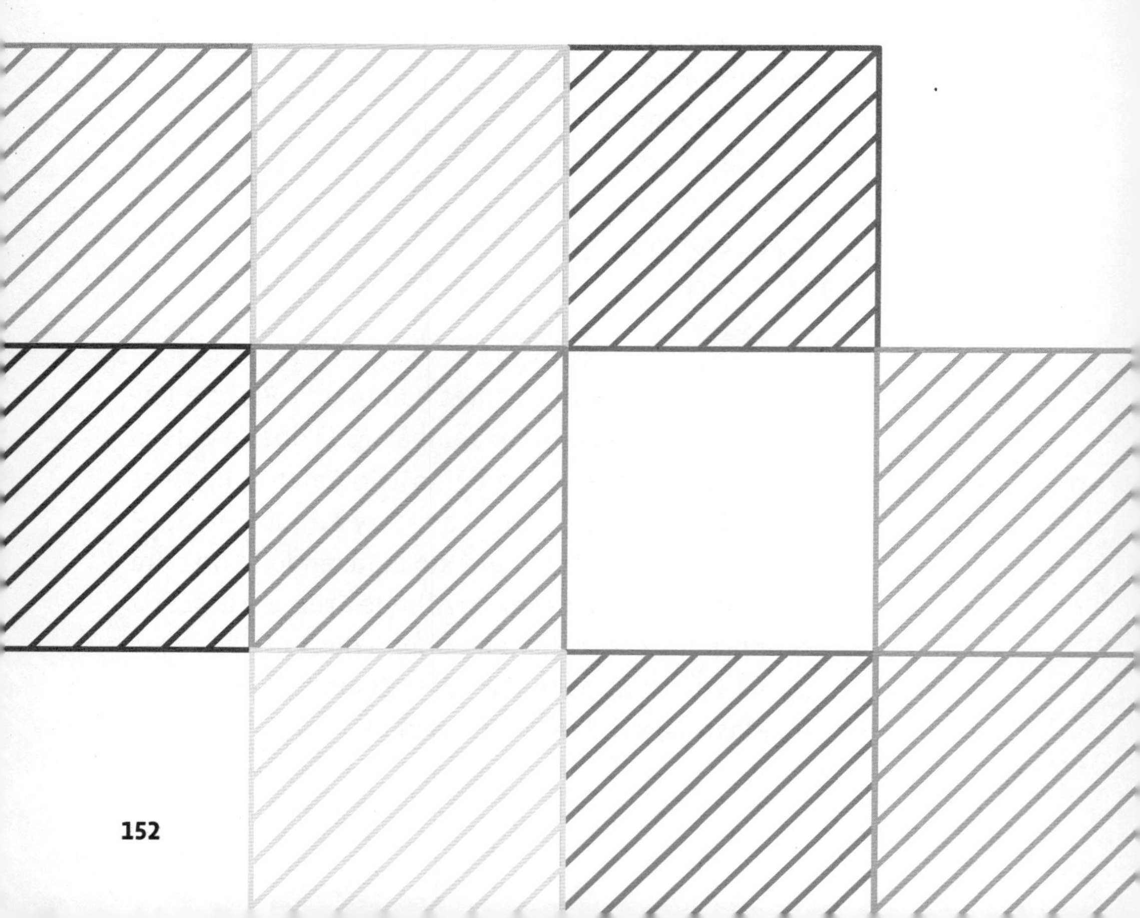

ZECA
pagodinho ao vivo

13º CAPÍTULO

ZECA PAGODINHO AO VIVO (1999)

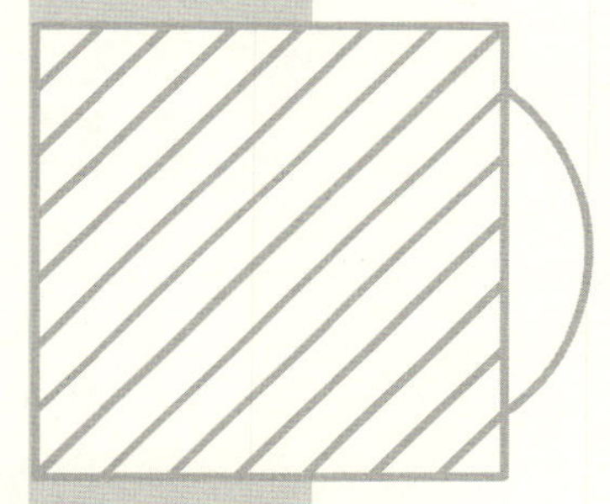

DISCO 13

ZECA PAGODINHO AO VIVO (1999)

Gravadora: Polygram
Produção: Rildo Hora
Direção de Arte: Gê Alves Pinto
Coordenação Gráfica: Patrícia Fernandes
Fotos: Alberto Vilar

1. **FAIXA AMARELA**
(Zeca Pagodinho / Jessé Pai / Luiz Carlos / Beto Gago)
2. **POSSO ATÉ ME APAIXONAR**
(Dudu Nobre / Mercury)
3. **NÃO SOU MAIS DISSO**
(Zeca Pagodinho / Jorge Aragão)
4. **VIVO ISOLADO DO MUNDO**
(Alcides Dias Lopes)
5. **CORAÇÃO EM DESALINHO**
(Monarco / Ratinho)
6. **SEU BALANCÊ**
(Paulinho Rezende / Toninho Geraes)
7. **VAI VADIAR**
(Monarco / Ratinho)
8. **RUGAS**
(Nelson Cavaquinho / Augusto Garcez / Ary Monteiro)
9. **FEIRINHA DA PAVUNA**
(Jovelina Pérola Negra)
LUZ DO REPENTE
(Arlindo Cruz / Marquinhos PQD / Franco)
BAGAÇO DA LARANJA
(Zeca Pagodinho / Arlindo Cruz)

10. **SEM ESSA DE MALANDRO AGULHA**
(Jayme Vignoli / Aldir Blanc)
11. **CHICO NÃO VAI NA CURIMBA**
(Zeca Pagodinho / Dudu Nobre)
12. **PAPEL PRINCIPAL**
(Almir Guineto / Luverci Ernesto / Dedé Paraíso)
13. **SAUDADE LOUCA**
(Arlindo Cruz / Franco / Acyr Marques)
14. **CAMARÃO QUE DORME A ONDA LEVA**
(Zeca Pagodinho / Beto Sem Braço / Arlindo Cruz)
SÃO JOSÉ DE MADUREIRA
(Zeca Pagodinho / Beto Sem Braço)
DOR DE AMOR
(Arlindo Cruz / Zeca Pagodinho / Acyr Marques)
15. **SAPOPEMBA E MAXAMBOMBA**
(Nei Lopes / Wilson Moreira)
16. **MINHA FÉ**
(Murilão)
17. **LUA DE OGUM**
(Zeca Pagodinho / Ratinho)
18. **SAMBA PRAS MOÇAS**
(Roque Ferreira / Grazielle)
19. **VERDADE**
(Nelson Rufino / Carlinhos Santana)

Com os três prêmios Grammy (foto: Vera Donato)

ZECA PAGODINHO – AO VIVO (1999)

Zeca *Pagodinho*, o disco, atingiu a marca de mais de 500 mil cópias vendidas. Hora de alcançar outros patamares. Zeca, que já tinha dado uma virada com *Samba pras Moças*, se estabelecera de vez com o "álbum branco". Os shows ficavam lotados em vários lugares do subúrbio, incluindo casas como Imperator, no Méier, o Teatro Rival e o Asa Branca, no Centro do Rio de Janeiro, e locais de algumas cidades do Brasil e em especial em São Paulo, onde o artista chegava a fazer três apresentações por noite. Não era necessário muito esforço, como ele mesmo diz: "Bastava uma faixa pendurada, anunciando: 'Show de Zeca Pagodinho' para o lugar bombar." Mas faltava, para aqueles que cuidavam de sua carreira, dar mais um passo: firmar o artista na Zona Sul. O público desta área da cidade ainda era uma incógnita.

Depois de tantos acontecimentos, o empresário Nei Barbosa tinha dado "uma arrumada na casa". Era hora de encarar o desafio e, com pompa e circunstância, fazer um grande show de lançamento do disco *Zeca Pagodinho* no espaço nobre de Botafogo, reduto dos grandes e consagrados artistas da música, o Canecão. E Zeca, o que achava disso? "Eu já tinha passado por lá em um esquema de dividir a noite com outros artistas e para algumas outras apresentações, mas da forma como se pretendia fazer, parecia que era a primeira vez. Achei bacana, mas sempre pensei: 'O que eu vou fazer em um lugar onde se apresentam o rei Roberto Carlos e a nata da MPB?'" Mesmo assim, ele foi.

Desta vez, Zeca Pagodinho ganhou, em vez de uma faixa, um anúncio na fachada e uma enorme foto na lateral da casa, como era de costume acontecer com as grandes atrações. Nei Barbosa morava, na época, no Morada do Sol, um condomínio em frente à casa de espetáculos. Na expectativa, olhava da janela de seu apartamento para ver o movimento da bilheteria, até que numa tarde, viu uma fila com mais ou menos 10 pessoas, que viria a se repetir em outros dias. Incrédulo, achou que a movimentação era para alguma vaga de emprego que estaria sendo oferecida no local. Então, decidiu ir até lá e, para sua surpresa, foi informado por Jerson Alvim, diretor artístico na época, que a tal fila era para comprar ingressos para o show de Zeca Pagodinho. E a surpresa maior foi saber que as entradas estavam praticamente esgotadas. A Zona Sul não era mais um problema, tinha sido, como diriam os funkeiros, "dominada".

Mesmo com todo este êxito, por certo tempo alguns segmentos da sociedade hesitavam, por preconceito, em assumir que gostavam do sambista. Mas, na verdade, parte destes segmentos queria mesmo era conhecer de perto e se entregar àquele samba. "Neste período, o Zeca ainda tinha fama de doidão, malandro do subúrbio", conta Nei. Para tentar minimizar esta imagem, o show, além de ter um repertório impecável, contou com a exibição de um videoclipe mostrando o sambista no seu sítio, em Xerém, acompanhado da mulher Mônica e, na época, de seus três filhos – a caçula Maria Eduarda viria alguns anos depois. Também foram exibidas cenas do artista cuidando de seus bichos. O vídeo era apresentado no intervalo do show para a troca de figurino, enquanto parte da banda tocava o chorinho "Pedacinho do céu", de Waldir Azevedo, uma referência ao lugar onde Zeca encontrou sua tranquilidade. O fato é que o artista podia até ser doidão, mas também era, e ainda é, muito família.

Pagodinho tinha noção da existência deste preconceito com relação ao seu trabalho, mas, como de costume, não perdia tempo pensando no assunto. Vez ou outra, escutava críticas e opiniões sobre sua carreira. Algumas ele entendia, sobre outras ainda tinha dúvida se a pessoa o elogiava ou se estava tirando seu mérito. Um exemplo disso aconteceu pouco tempo antes de sua apresentação no Canecão, numa das muitas entrevistas concedidas a Jô Soares. Na ocasião, ele pediu ajuda do entrevistador para decifrar uma carta de um leitor do *Jornal do Brasil*, veículo voltado para as classes A e B:

– Jô, você, que é um intelectual, lê esta carta aqui.

– Posso ler só um trecho? – pergunta o apresentador.

– Lê toda, porque ainda não entendi se esse cara gosta de mim ou se está me esculhambando.

E foi o que fez o Jô, leu a carta na íntegra:

> *Noite de sexta-feira, ou melhor fim do happy hour, às 22h. Acabei indo parar nas Lojas Americanas. De repente deparei-me com ele. Estava ali, confortavelmente, instalado em uma das gôndolas da loja, o CD do Zeca Pagodinho. Ocasião inédita, mais brega, não podia. No princípio hesitei muito, o que vão pensar de mim?*
>
> *Na véspera, meu filho tinha comprado o do Carlinhos Brown. Fantástico! Nestas condições, como eu iria explicar a presença do Zeca na minha "CDoteca"? E os amigos, o que eu vou dizer a eles quando me ouvirem cantarolando pelos corredores da faculdade? Ninguém perdoa um fã de Zeca Pagodinho. Resolvi peitar. Comprei. Chegando em casa, escondo a coisa para que meu filho não visse (sic).*

Com o diretor artístico Max Pierre e o produtor Rildo Hora (foto: Vera Donato)

Eu me senti na obrigação de prepará-lo psicologicamente para anunciar a notícia antes que ele descobrisse. Mais tarde, quando chegou, me animei e contei o crime. Pra surpresa minha, do alto de seus 19 anos, me desculpou com ar blasé. Animado, pedi autorização para ouvir o Zeca. A partir de então, deslumbre total. A redescoberta do particularismo sem pretensões, do regionalismo genuinamente carioca, o sambinha misturado com o sambão de partido-alto incorporando o caldo do pagode é o forte do CD. Arranjo simples pra todo mundo ouvir e gostar. Uma maravilha!

No início, meu filho, globalizado, ficou meio reticente, mas aos poucos foi vendo que o cara era bom, apesar dos copos que toma. Foi aos poucos se deixando levar pelo ritmo. Daí caros leitores, curtimos duas vezes seguidas até o "bagaço da laranja".

Geraldo Nunes – RJ

Após rodar algumas cidades do país, Zeca volta ao Canecão com o show do "álbum branco" para uma temporada de duas semanas. Em um desses espetáculos, percebendo, mais uma vez, o sucesso de público, o diretor artístico da Polygram, Max Pierre, presente na plateia, resolve registrá-lo em um "ao vivo".

"Eu me lembro que este disco nasceu de uma maneira muito engraçada. Eu estava com a minha mulher, Luzinete, no Canecão, vendo o Zeca cantar, quando senti que tinha um dedo nas minhas costas. Era o Max, que olhou para mim e falou: 'Rildo, este espetáculo é maravilhoso! Vamos gravá-lo ao vivo.' Foi isso. O disco surgiu de uma cutucada", conta o produtor Rildo Hora.

A gravação aconteceu na semana seguinte. *Zeca Pagodinho – Ao Vivo* acaba sendo a primeira retrospectiva da carreira do cantor. Nele, o sambista apresenta algumas músicas do trabalho anterior e sucessos do início de sua trajetória, como "Faixa amarela", "Vivo isolado do mundo", "Camarão que dorme a onda leva" e "Posso até me Apaixonar", entre outras. E a casa de shows ficava, cada vez mais, lotada.

Mas os desafios não acabavam por aí. Já que o Canecão não era mais um problema, o caminho agora era rumo ao Metropolitan, uma casa de espetáculos da Barra da Tijuca – hoje com o nome de Citibank Hall – com 12 mil lugares, o triplo da lotação do Canecão. Mais uma vez, o empresário Nei Barbosa esbarra na resistência de Zeca em levar o show feito na Zona Sul para a Zona Oeste da cidade. "O Zeca não entendia muito bem o que estava acontecendo naquele momento, ainda ficava perplexo com a força que ele tinha. Quando propus a ele fazer o Metropolitan, ele perguntou se eu estava maluco, disse que ninguém ia querer ver o Zeca Pagodinho na Barra. E aí eu falei: 'Zeca, vamos lotar aquele negócio lá, cara!'", conta o empresário. Assim, Nei, finalmente, após muita contestação por parte do sambista, consegue convencê-lo.

Por mais incrível que possa parecer, Pagodinho era um dos poucos a sentir receio dessas apresentações. Os diretores artísticos da casa, Bernardo Amaral e Wanderson Eller, que, pela experiência, eram craques em estimativa de público, chegaram a apostar com o empresário que não só o espaço iria lotar, mas os ingressos esgotariam em quatro dias. Ou seja, seriam três mil vendas por dia. Não deu outra, sucesso estrondoso! O artista estreia no Metropolitan com duas noites de ingressos esgotados.

Zeca não acreditou quando entrou no palco e viu a casa repleta de gente. Um sentimento inexplicável não apenas para ele, mas também para aqueles que faziam parte, diretamente, do seu trabalho, como o maestro Rildo Hora: "Quando eu vi o Zeca na Barra, naquele Metropolitan cheio e o povo cantando com ele, quase tive um infarto de tanta emoção. Eu também sou um cara da periferia, de Caruaru, vim de lá de navio, porque meu pai não tinha dinheiro para vir de avião. Ao chegar ao Rio, fomos morar em Anchieta. Após um ano, morando em casa sem luz e sem água, mudamos para Madureira, quando iniciei a carreira tocando minha gaita. Então, imagina a minha felicidade de ver aquele Metropolitan cheio de classe média alta, cantando com o Zeca? Foi um troço! Fiquei muito comovido de ver como o cara conseguiu estourar ali."

Após o espetáculo, Zeca estava extasiado com o que tinha vivido. Voltou para o Hotel Sheraton, em São Conrado, próximo ao Metropolitan, onde estava hospedado com a família, tendo em vista que naquele tempo ainda tinha residência fixa em Xerém. No dia seguinte, cheio de adrenalina, acordou cedo e começou a ligar para várias pessoas convidando-as para comemorar com ele o sucesso da noite anterior. Dentre elas: o empresário Nei Barbosa, o produtor Rildo Hora e os músicos da banda. Foi para a piscina do hotel, bebeu cerveja, falou alto, pegou vento e lá pelas 4 horas da tarde resolveu subir para o quarto e descansar até a hora do show. Dormiu e acordou praticamente sem voz. Zeca mal conseguia falar. Desespero total. Já não era mais possível cancelar a apresentação. Ele partiu para o Metropolitan com a esperança de que houvesse alguma melhora em sua garganta. Entrou no palco e não conseguiu cantar, mas contou com a ajuda do vocal de Dudu Nobre, seu cavaquinista na época, e com o apoio de uma plateia lotada que, sensibilizada com a situação do sambista, cantou todas as suas músicas. Dessa forma acontece o improvável, tipo de coisa que parece só acontecer na vida de Zeca Pagodinho: a perda da voz, que poderia ter lhe causado um grande problema com o público, acaba confirmando a sua consagração. E ele confessa: "Foi o momento mais emocionante da minha carreira."

O disco *Zeca Pagodinho – Ao Vivo* atinge a marca de 1 milhão de cópias vendidas e, com ele, o artista ganha o primeiro Grammy de sua carreira, na categoria "Melhor Disco de Samba e Pagode".

pagodinho
ZECA
Elifas Andreato
ÁGUA DA MINHA SEDE

14º CAPÍTULO

ÁGUA DA MINHA SEDE (2000)

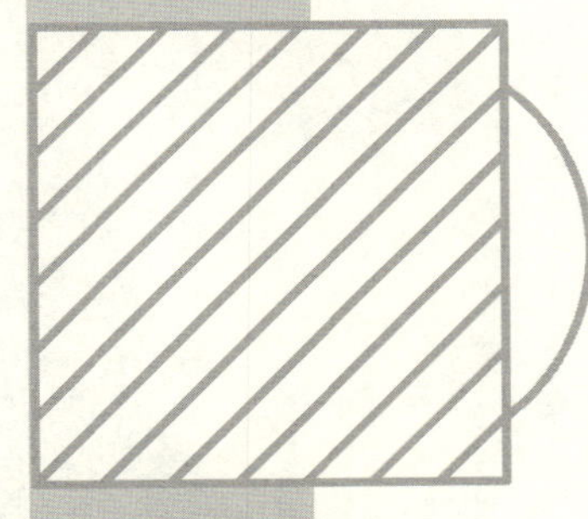

DISCO 14

ÁGUA DA MINHA SEDE (2000)
Gravadora: Universal
Produção: Rildo Hora
Capa: Elifas Andreato
Coordenação de Arte: Gê Alves Pinto e Patrícia Fernandes

1. **ÁGUA DA MINHA SEDE**
   (Dudu Nobre / Roque Ferreira)
2. **MANECO TELECOTECO**
   (Marques / Roberto Lopes)
3. **DELEGADO CHICO PALHA**
   (Tio Hélio / Nilton Campolino)
4. **NUNCA VI VOCÊ TÃO TRISTE**
   (Monarco / Alcino Correia)
5. **ALTO LÁ**
   (Zeca Pagodinho / Arlindo Cruz / Sombrinha)
6. **VACILÃO**
   (Zé Roberto)
7. **A PAISAGEM**
   (Beto Sem Braço / Bandeira Brasil)
8. **PERFEITA HARMONIA**
   (Almir Guineto / Bidubi / Brasil)
9. **PRESERVAÇÃO DAS RAÍZES**
   (Barbeirinho do Jacarezinho / Luiz Grande / Marcos Diniz)
10. **A PONTE**
    (Paulo César Pinheiro / Elton Medeiros)
11. **PAGODEIRO FINO TRATO**
    (Carlos Roberto da Mangueira)
12. **OS PAPÉIS**
    (Wilson das Neves / Luiz Carlos da Vila)
13. **SHOPPING MÓVEL**
    (Luizinho Toblow / Claudinho Guimarães)
14. **CABOCLA JUREMA**
    (Efson / Nei Lopes)
15. **JURA**
    (Sinhô)

Com a turma do Cacique: Luiz Carlos da Vila, Sombrinha, Beth Carvalho, Arlindo Cruz e Almir Guineto (foto: Vera Donato)

ÁGUA DA MINHA SEDE (2000)

Após o sucesso estrondoso de *Zeca Pagodinho – Ao Vivo*, chega a vez de *Água da Minha Sede*. O álbum foi esperado, com expectativa, pelo público do samba, já que Zeca, nesta década, se estabelece definitivamente no rol dos grandes autores e intérpretes do gênero.

Passados quase 20 anos, não só ele, mas também a turma do Cacique de Ramos provava, através dos lançamentos do próprio Zeca, Arlindo e Sombrinha, Fundo de Quintal e Jorge Aragão, que não era descartável, que veio para ficar e para ter espaço garantido na história da música popular brasileira.

Enquanto isso, Zeca, sem se atentar para o novo momento, permanecia de chinelo, camiseta e bermuda, na sua vida pacata de Xerém – que, a essa altura, já não estava tão calma assim. Em função da repercussão do trabalho, a mídia queria, cada vez mais, entender o modo de vida do artista. Eram inúmeros pedidos de entrevistas e até mesmo o Bar do Geraldo – que Zeca costumava frequentar com tranquilidade – já não era o mesmo. "Antes, esse bar era só vazio. Agora, vem gente do Brasil e do mundo inteiro se sentar aqui e pedir um tira-gosto e uma bebida só para esperar o Zeca chegar"[29], exagera o dono do bar. Mas, exageros à parte, o fato é que Xerém estava prestes a virar um parque temático. "Não me importo de dar autógrafo, mas não consigo entender esse povo que chora, treme e quer desmaiar. Falo logo, não desmaia em cima de mim não que eu não vou segurar, tenho problema na coluna. Ué, sou um cara como outro qualquer", diz Zeca com uma absoluta indiferença ao sucesso.

Seguindo a linha de dar um tratamento mais elaborado ao trabalho, Rildo Hora não sossega e desta vez, logo na primeira faixa, título do disco, de Dudu Nobre e Roque Ferreira, coloca sua veia erudita a serviço do samba. "Confesso que fui um pouco pretensioso no arranjo desta música. A introdução tem um negócio meio Villa-Lobos, embora em um momento muito curto. Era uma onda meio sinfônica, mexi um pouco na estética do arranjo e o engraçado é que, até hoje, ninguém reclamou: Significa que eu acertei", se diverte o arranjador e produtor musical do CD.

Na sequência, ouve-se tudo o que se espera de Zeca Pagodinho, como o partido "Maneco Telecoteco" de dois novos autores, Marques e Roberto Lopes, descobertos e levados ao artista pelas mãos de Paulão 7 Cordas, e "Delegado Chico Palha", da dupla imperiana Nilton Campolino e Tio Hélio. Os antigos contam que este último samba surgiu no ano de 1938, época em que a polícia perseguia, diariamente, os sambistas. Um exemplo foi a prisão de João da Baiana, um dos precursores do gênero, detido por portar um pandeiro. "Delegado Chico Palha" fala da história de um policial que era famoso por sua repressão aos sambistas no bairro de Madureira:

Era um homem muito forte
Com o gênio violento
Acabava a festa a pau
Ainda quebrava os instrumentos

---

29. "Samba Acontece é em Xerém". *Gazeta Mercantil*, Rio de Janeiro página 12, Caderno da Gazeta Mercantil, 30 e 31 de março e 1º de abril.

Ele não prendia
Só batia

Os malandros da Portela
Da Serrinha e da Congonha
Pra ele eram vagabundos
E as mulheres sem vergonhas
(...)
A Curimba ganhou terreiro
O samba ganhou escola
Ele, expulso da polícia,
Vive pedindo esmola

Neste disco, a Velha Guarda da Portela se faz presente em duas faixas, na já citada "Delegado Chico Palha" e na belíssima "Eu nunca vi você tão triste assim", de Monarco e Alcino Corrêa. Alcino, que assina com Monarco clássicos como "Vai vadiar", "Coração em desalinho" e também tem boas parcerias com Pagodinho, teve que abrir mão de seu apelido artístico por causa de outro sambista homônimo que andou recebendo seus direitos autorais, mas para sua turma nunca deixou de ser o "Ratinho".

O CD está recheado de músicas dos amigos. Estão lá: Almir Guineto, Bidubi e Brasil com "Perfeita harmonia"; o Trio Calafrio com "Preservação das raízes"; e o mestre Beto Sem Braço e Bandeira Brasil em "A paisagem", canção que remete ao subúrbio rural e faz lembrar Xerém:

A planície tão verdejante
Perfumada com a essência da flor
A natureza sorria em seu afã de amor
O povo com galhardia
Na liberdade que sonhou

Com os parceiros Zé Roberto e Nei Lopes, observados por Rildo Hora (foto: Vera Donato)

Zeca Pagodinho, neste trabalho, faz questão também de ter com ele compositores consagrados que, naquele momento, sofriam pela falta de espaço na mídia. Assim, na tentativa de pôr foco nestes grandes nomes, grava sambas de Elton Medeiros e Paulo César Pinheiro, "A ponte"; Nei Lopes e Efson, "Cabocla Jurema"; e de Wilson Moreira e Luiz Carlos da Vila, "Os papéis".

A descontração fica a cargo dos sambas "Shopping móvel", de Luizinho Toblow e Claudinho Guimarães, uma descrição do comércio que acontece dentro do trem que sai da Central do Brasil, onde tem sempre tudo, até "CD pirata de Frank Sinatra a Zeca Pagodinho". Outra que segue a linha é a divertida "Vacilão", que rendeu ao compositor Zé Roberto um troféu de melhor compositor do ano de 2002.

Chegou em casa outra vez doidão
Brigou com a preta sem razão
Quis comer arroz doce com quiabo
Botou sal na batida de limão

"O Zé Roberto é um cara muito interessante. Pagodinho admira a forma como ele compõe. Ele pega um assunto e disseca bem, às vezes, com humor e, às vezes, com temas românticos", diz Rildo Hora.

Neste disco, Zeca assina uma música, em parceria com Arlindo Cruz e Sombrinha, "Alto lá", que foi incluída na trilha sonora da novela da Rede Globo *O Clone* como tema dos personagens Deusa e Edvaldo, representados pelos atores Adriana Lessa e Roberto Bonfim. Outro que vai parar na TV é o samba-maxixe "Jura", clássico do compositor Sinhô, gravado por Mário Reis, na década de 20. Ele vira tema de abertura da novela *O Cravo e a Rosa*, também da Rede Globo.

O sucesso internacional da novela *O Cravo e a Rosa* abriu as portas para que Zeca se apresentasse pela primeira vez em terras lusitanas. Ele faz dois shows no Casino Espinho, no Porto, onde a música ocupava os primeiros lugares nas paradas. Aqui, não era diferente, Zeca resgata Sinhô.

O CD *Água da Minha Sede* ultrapassa a marca de 600 mil discos vendidos e garante ao artista seu segundo Grammy.

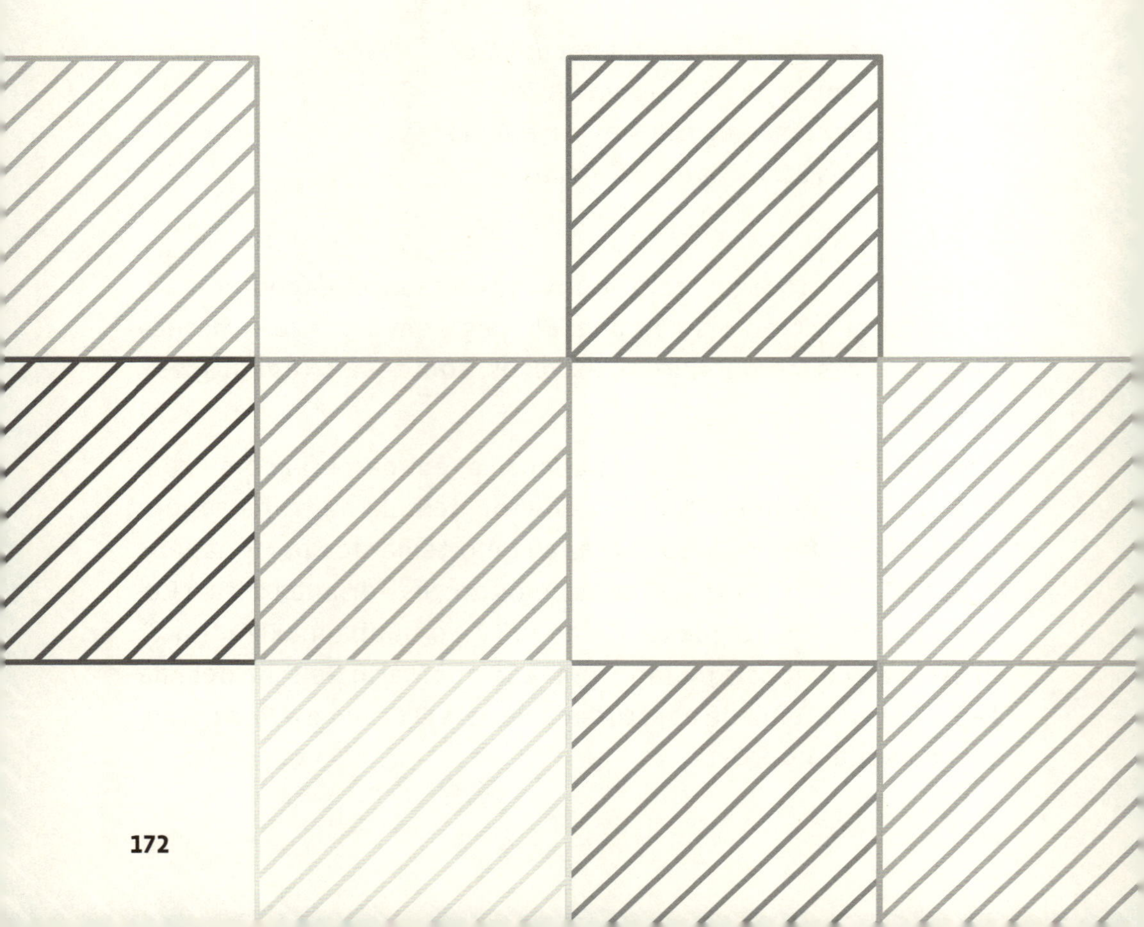

Deixa a vida me levar
ZECA
Pagodinho

15º CAPÍTULO

DEIXA A VIDA ME LEVAR (2002)

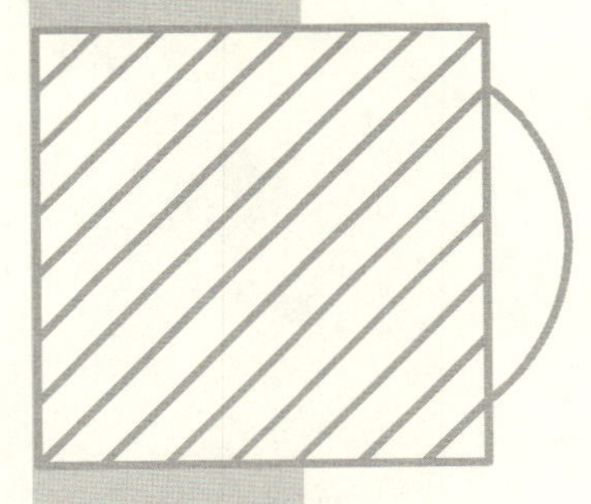

DISCO 15

DEIXA A VIDA ME LEVAR (2002)
Gravadora: Universal
Produção: Rildo Hora
Direção de Arte: Gê Alves Pinto
Projeto Gráfico: Carol Santos
Fotos: Adriana Lins
Ilustrações: Lan

1. **MEU MODO DE SER**
(Zé Roberto)
2. **SALVE ESTE MUNDO, MENINO**
(Bidubi / Brasil / Fá do Tuiuti)
3. **DEIXA A VIDA ME LEVAR**
(Serginho Meriti / Eri do Cais)
4. **PRA GENTE SE AMAR**
(Arlindo Cruz / Maurição / Acyr Marques)
5. **TÁ RUIM MAS TÁ BOM**
(Alamir / Clemar / Zé Carlos)
6. **LETREIRO**
(Dunga / Roque Ferreira)
7. **CAVIAR**
(Luiz Grande / Barbeirinho do Jacarezinho / Mauro Diniz)
8. **CALANGUEEI**
(Almir Guineto / Fernando Boêmio)
9. **AMOR NÃO ME MALTRATE**
(Monarco / Ratinho)
10. **BELO ENCONTRO**
(Wilson Moreira)
11. **CHOVE, É O CÉU QUE CHORA**
(Zeca Pagodinho / Mauro Diniz)
12. **DEBAIXO DO MEU CHAPÉU**
(Nei Lopes)
13. **NÊGA JUDITE**
(Flavinho Silva / Leandro Dimenor / Silvio Eduardo)
14. **RIQUEZAS DO MEU BRASIL**
(Candeia / Waldir 59)

Com Chico Anysio e os meninos Darlan Cunha e Douglas Silva, na gravação do clipe de "Caviar" (foto: Vera Donato)

DEIXA A VIDA ME LEVAR (2002)

Deixa a vida me levar, vida leva eu
Deixa a vida me levar, vida leva eu
Sou feliz e agradeço por tudo que Deus me deu

O jornalista Chico Pinheiro contou, certa vez, que quando colocava os filhos para dormir cumpria o seguinte ritual: rezava com a garotada um pai-nosso, uma ave-maria e logo em seguida pedia para que repetissem o refrão do samba acima destacado. Para ele, "samba em feitio de oração".

É claro que Zeca, com seu tino para repertório, imaginava que esta seria uma das músicas de sucesso do novo CD, mas acabou se surpreendendo com a projeção por ela alcançada. O samba virou um hino, não só da Copa do Mundo de Futebol de 2002, quando o Brasil foi pentacampeão, mas também dos brasileiros que o cantam, até hoje, como se fossem libertados das pressões do dia a dia: "Vida leva eu"...

E Pagodinho, que nunca fez um gol na vida, que foi expulso de uma escolha para integrar um time de futebol por ficar mais concentrado na paisagem em torno do campo do que na bola, estava lá, no trio elétrico, junto com a seleção brasileira desfilando por toda a cidade para um público de cerca de 500 mil pessoas. "Fiquei muito orgulhoso e emocionado por estar ao lado dos pentacampeões, no alto do trio, e o povo lá embaixo acompanhando a cantoria", confessa o sambista.

Eu já passei por quase tudo nesta vida
Em matéria de guarida espero ainda minha vez
Confesso que sou de origem pobre
Mas meu coração é nobre, foi assim que Deus me fez
E deixa a vida me levar (vida leva eu)
Sou feliz e agradeço por tudo que Deus me deu

O samba, de Serginho Meriti e Eri do Cais, dava título ao 15º disco de Zeca Pagodinho que reunia, além dos autores citados, um time de compositores de primeira como Monarco e Ratinho, Arlindo Cruz, Trio Calafrio, Wilson Moreira, Nei Lopes, a dupla Candeia e Waldir 59, o próprio Zeca – em uma parceria com Mauro Diniz –, Dunga e Roque Ferreira, entre outros. Além disso, o álbum trazia diversos estilos musicais.

"Deixa a vida me levar" era mais um daqueles sambas apresentados a Zeca, e por ele aprovados, que não foram gravados de imediato, mostrando assim que mais do que saber o que gravar, o artista, inexplicavelmente, sabe quando gravar. Há quem diga ser isto fruto de uma musicalidade quase espiritual, como podemos observar na fala de Pagodinho: "Já tinha escutado e achado um petardo a música do Meriti, mas quando ela me foi apresentada pela primeira vez, instintivamente, não achei que fosse a hora de gravá-la. Assim como aconteceu com várias outras que eu ouvi."

Responsável pela produção musical do CD, Rildo Hora conta que após a entrada da canção no repertório, já dentro do estúdio ela recebeu o belíssimo arranjo de Paulão 7 Cordas. Um dia depois da gravação, o produtor se deparou com o corredor cheio de amigos de Zeca, que costumavam frequentar o estúdio da Companhia dos Técnicos durante a fase dos trabalhos. Eram umas sessenta pessoas e Rildo resolveu usá-las para entoar o refrão "deixa a vida me levar". "Parecia que o Zeca estava cantando com o Maracanã. Imagina esse povo cantando essa frase em três canais? Era como uma multidão", lembra-se Rildo.

Talvez tenha sido este um dos motivos que levou Luiz Felipe Scolari a escolher o samba para levantar o ânimo dos jogadores na concentração. Em entrevista, o técnico fala que a música simbolizava a chegada dos jogadores brasileiros nos estádios porque iam jogar bola em clima de festa. "No jogo final, enquanto os jogadores da Alemanha desciam do ônibus sisudos e frios, os nossos chegavam com pandeiro, sambando. Os alemães olhavam assustados e pensavam: são loucos." A música, então, acaba alcançando repercussão não só aqui, mas também em todo eixo Japão-Coreia.

O ano de lançamento do disco marca também a mudança de endereço do artista que, para proporcionar uma melhor educação para os filhos, troca Xerém pela Barra da Tijuca. Embora seja um sujeito cosmopolita, se depara com as diferenças socioeconômicas e culturais dos dois lugares e estranha. Além do preço do alface – "em Xerém ele custava a metade" –, Zeca levou um susto quando foi comprar um tapete e soube que a peça escolhida custava 30 mil reais. "Por que este preço, ele voa?", perguntou ele à vendedora. Outra falta que o sambista sentia era a dos botequins. "Aqui na Barra não tem botequim, não tem um bêbado pra conversar", dizia ele, que mais tarde iria ver mudar todo esse panorama, mas isso contaremos depois. Com a falta do que fazer, Zeca começa a malhar. Contrata um *personal trainer* e descobre que tem um braço maior do que outro, uma perna também e, para completar, tem escoliose. Depois deste diagnóstico, declara: "Não imaginava que tinha nada disso, quando subia no palco ouvia sempre: 'lindo'! E acreditei."

Com Sílvia Pfeifer, também na gravação do clipe de "Caviar" (foto: Vera Donato)

O álbum *Deixa a Vida Me Levar* trazia na capa ilustrações do cartunista Lan e uma deliciosa mistura do clássico com o popular. Da nobreza de "Amor não me maltrate" (Monarco e Ratinho) e de "Riquezas do meu Brasil" (Candeia e Waldir 59) – samba-enredo de 1956 que leva a Portela ao vice-campeonato e que Zeca, como um bom portelense, tem a honra de gravar –, a um romântico Zé Roberto, em "Meu modo de ser"; do calango de Almir Guineto e Fernando Boêmio, "Calangueei", passando por um descontraído Nei Lopes em "Debaixo do meu chapéu", ao samba "Pra gente se amar", de Arlindo Cruz, Maurição e Acyr Marques. E tem também a faixa "Caviar", do Trio Calafrio, que a cada ano se supera na crônica social. A música mostra uma divertida diferença sócio-alimentar:

Caviar é comida de rico
Curioso fico, só sei que se come
Na mesa de poucos, fartura adoidado
Mas se olha pro lado depara com fome
Sou mais ovo frito, farofa e torresmo
Pois na minha casa é que mais se consome
Por isso se alguém vier me perguntar
O que é caviar
Só conheço de nome

O samba ganhou um super videoclipe promocional com as participações de Beth Carvalho, Arlindo Cruz, Dudu Nobre, Sombrinha e celebridades como Maitê Proença, Sílvia Pfeifer, Narcisa Tamborindeguy, Carolina Dieckmann, Hélio De La Peña, Stênio Garcia, Vera Loyola, e seu cachorrinho, e do mestre Chico Anysio. Um luxo!

Certo dia, inspirado no recado do Trio Calafrio, Zeca, com sua personalidade socialista, decidiu que seus amigos menos abastados deveriam ter acesso ao requinte. Comprou meia dúzia de latinhas de caviar russo e levou para a turma de Xerém – ele mantém

Com o maestro e produtor Rildo Hora e os três prêmios Grammy (foto: Vera Donato)

até hoje sua casa no distrito de Duque de Caxias. No dia em que resolveu fazer a degustação, estavam no seu quintal uns quinze amigos: Chiquita, Tião Cara de Pedra, Anibinha e os Gêmeos eram alguns deles. Todos, sem exceção, após a prova, fizeram cara de repulsa. Conclusão: das seis latas sobraram quatro e meia, e um pedido para Zeca pegar o caviar e... voltar com a iguaria para o Rio de Janeiro. Zeca deu uma sonora gargalhada e foi comer com eles pé de galinha com inhame. Em menos de uma hora a panela estava vazia.

A crítica especializada neste ano chama atenção para a versatilidade do repertório do disco, enaltece o canto de Zeca, valoriza o seu conhecimento da "rua" e sua espontaneidade. Nesta época, Caetano Veloso também reverencia o sambista através de um texto de apresentação do álbum para a imprensa.

> *Pôr um disco do Zeca Pagodinho para escutar é como abrir a janela num dia de sol. A verdade é que Zeca é uma das personalidades musicais mais íntegras surgidas no Brasil nas últimas décadas. Poucos – no rock, no pop, no axé, no samba, no rap, no funk, na canção em geral – exibem tanta intensidade com tanta espontaneidade. Seu sentido do ritmo está sempre, naturalmente, vinculado ao gesto pessoal: a malandragem, a ironia, o sentimento, tudo o que aparece no que ele percebe em cada canção – e em cada trecho de canção – é traduzido no jogo que ele faz com o tempo.*
>
> *Esse é o segredo do seu fraseado: nenhum som de voz é emitido que não seja verdade. E nenhuma verdade que desperta seu interesse é estranha ao mundo do samba. Zeca é um tesouro artístico nacional e o povo brasileiro sabe disso.*

Ele é um ponto especial de concentração da nossa cultura. Pode-se dizer que ele levou a soltura rítmica de Ciro Monteiro para o repertório (e o timbre) do samba de partido-alto, nas proximidades da chula do recôncavo baiano, de onde gostamos de acreditar que todo samba tenha vindo. Quando Zeca apareceu para o grande público, esse tipo de samba, que tinha sido deixado para trás pelo carnaval, pelo samba-canção e pela bossa nova, voltava à tona, saindo dos quintais da Zona Norte, onde ele ficara guardado e continuava sendo cultivado em festas chamadas "pagodes".

Das festas o apelido passou para os sambas ali cantados, compostos e dançados e dos sambas, para Zeca. Isso é significativo do papel importante que ele representou e representa nessas ondas de fluxo e refluxo da história da permanente revitalização do samba. Neste "Deixa a Vida Me Levar" temos o Zeca no seu melhor.

Por essas e por outras, *Deixa a Vida Me Levar* é mais um recorde de vendas. Este trabalho dá a Zeca várias alegrias, uma delas a da conquista de outro Grammy, na categoria "Melhor Disco de Samba e Pagode", o terceiro da carreira.

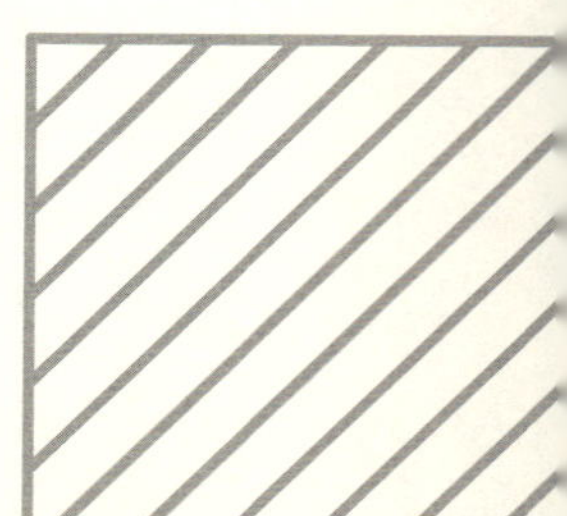

acústico
MTV
MUSIC TELEVISION
Zeca Pagodinho

16º CAPÍTULO

ACÚSTICO MTV (2003)

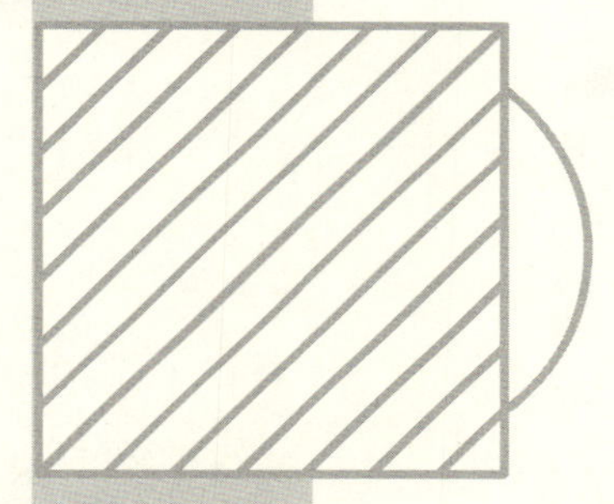

DISCO 16

ACÚSTICO MTV (2003)
Gravadora: Universal
Produção: Rildo Hora
Coordenação Gráfica: Gê Alves Pinto e Geysa Adnet
Fotos: Marcos Hermes
Design: Christiano Menezes

1. **LAMA NAS RUAS**
(Almir Guineto / Zeca Pagodinho)
2. **QUANDO EU CONTAR (IAIÁ)**
(Serginho Meriti / Beto Sem Braço)
BRINCADEIRA TEM HORA
(Zeca Pagodinho / Beto Sem Braço)
3. **PATOTA DE COSME**
(Nilson Bastos / Carlos Sena)
4. **MANEIRAS**
(Sylvio da Silva)
5. **O PENETRA**
(Zé Roberto)
6. **LÁ VAI MAROLA**
(Serginho Meriti / Claudinho Guimarães)
7. **COMUNIDADE CARENTE**
(Barbeirinho do Jacarezinho / Luiz Grande / Marcos Diniz)
8. **MANECO TELECOTECO**
(Marques / Roberto Lopes)
9. **VACILÃO**
(Zé Roberto)
10. **NÃO SOU MAIS DISSO**
(Zeca Pagodinho / Jorge Aragão)
11. **VAI VADIAR**
(Monarco / Ratinho)
CORAÇÃO EM DESALINHO
(Monarco / Ratinho)
12. **ALTO LÁ**
(Zeca Pagodinho / Arlindo Cruz / Sombrinha)
13. **PAGO PRA VER**
(Nelson Rufino / Toninho Geraes)
14. **SEU BALANCÊ**
(Paulinho Rezende / Toninho Geraes)
15. **POSSO ATÉ ME APAIXONAR**
(Dudu Nobre)
16. **CAVIAR**
(Luiz Grande / Barbeirinho do Jacarezinho / Marcos Diniz)
17. **SAMBA PRAS MOÇAS**
(Roque Ferreira / Grazielle)
18. **VERDADE**
(Nelson Rufino / Carlinhos Santana)
19. **DEIXA A VIDA ME LEVAR**
(Serginho Meriti / Eri do Cais)

Marcelo D2 em Xerém (foto: Vera Donato)

ACÚSTICO MTV (2003)

Se para o produtor Rildo Hora a gravação do *Acústico MTV* foi hollywoodiana, imagina o que pensou o povo de Xerém quando viu desembarcar no lugar gente como Gabriel, o Pensador, Marcelo D2, Nando Reis, Simoninha, Jairzinho, Falcão, do Rappa, entre outros *popstars* da época, conhecidos por ele apenas pela TV? Não que isso fosse totalmente estranho, já que por lá já tinham passado algumas outras visitas ilustres como o presidente Luís Inácio Lula da Silva e outras personalidades, mas em bando era a primeira vez.

Os convidados chegaram para comemorar o registro do primeiro projeto, pela MTV, do sambista mais rock and roll do Brasil: Zeca Pagodinho. "A gravação foi maravilhosa", diz Zeca, "e depois, em Xerém, foi uma festa. Lá na minha casa é assim, todo mundo misturado, artista, pobre, rico, maluco, malandro e otário", ou seja, mais rock and roll impossível.

Foi apostando nesta atitude que Max Pierre instiga os executivos da emissora a fazer o projeto com Zeca Pagodinho. O convencimento não foi nada difícil, já que a afinidade do artista com o público jovem tinha sido comprovada recentemente com o sucesso do show que ele fizera no Planeta Atlântida, o mais famoso festival de música do sul do país, em um dia em que na programação imperou o pop/rock. A equipe da MTV conhece o sambista, fica encantada e Zeca conquista um novo espaço em sua carreira, ganhando para o trabalho mais cordas, mais sopros, mais metais, enfim, uma orquestra com mais de 50 músicos.

Porém, como nem tudo é perfeito, o *Acústico* tinha como perfil uma apresentação comportada, na qual o artista se mantinha sentado por quase todo show. Era necessário muito ensaio, já que o formato era novo, tinha que ter um figurino mais clássico, uma marcação de palco. Tudo que apavorava Zeca, como ele mesmo declarou: "Eu achava que só ia chegar lá e cantar, até aí tudo bem. Mas daqui a pouco chega um monte de gente, um com o desenho do palco, outro com o da luz, etc, etc. Pensei: 'Meu Deus pra que me jogaram nisso?' Não fui eu que escolhi essa vida. Me jogaram no palco e eu cantei[30]. Mas depois eu 'pintei', faltava as entrevistas, fugia dos programas de televisão. Fiz tudo pra dar errado e deu certo", disse ele em tom de desabafo.

Os deuses devem ter ouvido aquele lamento, entretanto não deram trela e mais uma vez o universo conspira a favor. Com arranjos de Rildo Hora, Paulão 7 Cordas, Mauro Diniz e Leonardo Bruno, o DVD conta com um repertório primoroso que reúne sucessos da carreira, participação da Velha Guarda da Portela e as inéditas "Lá vai marola", de Serginho Meriti e Claudinho Guimarães; "Comunidade carente", do Trio Calafrio; a bem-humorada "O penetra", de Zé Roberto; e "Pago pra ver", de Nelson Rufino e Toninho Geraes. Esta última chega para Zeca pelas mãos de Rufino, aos quarenta e oito do segundo tempo, e tem história pra contar.

30. Zeca se refere à primeira vez que cantou com Beth Carvalho, no Asa Branca. (Nota dos Autores)

Próximo à data do evento, o compositor baiano estava no Rio de Janeiro quando recebeu a ligação de Pagodinho convidando-o para ir a sua casa. O médico tinha acabado de liberá-lo para suas cervejas após a recuperação de um problema de saúde. E embora Toninho Geraes, parceiro no samba, já o tivesse mostrado tempos atrás, sem muito êxito, Nelson resolveu arriscar e cantá-lo de novo para uma improvável entrada no repertório.

Pago pra ver você rogar a minha volta
Minha revolta tá na sua ingratidão
Quem deu amor, quem se entregou não merecia
Uma partida sem deixar explicação
Quando você chegou pra mim foi tanta jura
Tanta promessa desse amor jamais ter fim
Agora vejo, foi somente um desejo
Simplesmente um ensejo pra mais uma curtição
Enquanto eu que apostei todas as cartas
Desse amor que me descarta
Sou a dor, desilusão
Vou refazer minha vida
Mudar o meu telefone
Cicatrizar a ferida
Tirar o seu sobrenome
O que restou de nós dois
Vou apagar da lembrança
E não mais me entregar
Feito criança

E desta vez a música bateu, era a hora. Zeca ligou para Rildo e anunciou: "Maestro, chegou uma bomba que não pode ficar de fora. Dá um jeito aí e vamos entrar com ela." Mais tarde "Pago pra ver" viraria a música de trabalho e sucesso nas rádios.

Gravação do *Acústico MTV*, com Arlindo Cruz (foto: Vera Donato)

Com a gravação do *Acústico*, feita em dois dias, no Pólo Rio de Cine e Vídeo, em Jacarepaguá, e dirigida por Joana Mazzucchelli, o mundo do samba pôde presenciar uma grande vitória, ganhando uma roupagem nunca dantes vista no segmento.

"Nós conseguimos fazer um DVD muito parecido com o que é o Zeca", explica Rildo Hora, "e embora ele estivesse sentado em um banquinho, que era o formato, conseguimos colocar ali tudo que a gente pensava. Colocar orquestra, batucada, tudo ali, a mistura do subúrbio com a Zona Sul. A gente conseguiu sintetizar isso naquele disco, porque aparentemente quando a gente faz um disco de samba, coloca o cara com uma batucada, um coro e acabou. Trabalhamos como no estúdio, tinha a orquestra de violino, mas sempre priorizando a batucada, e conseguimos transportar para o Brasil inteiro o que a gente fazia com o Zeca nas gravações."

O público que lotou o estúdio do Pólo encontrou um Zeca Pagodinho inspirado e acompanhado das Orquestras do Theatro Municipal e da Petrobras, dos quartetos Guerra Peixe e Bessler e de sua banda Muleke. Na plateia, convidados anônimos e famosos puderam apreciar um roteiro composto por vinte e seis músicas.

Para o maestro Leonardo Bruno, um dos arranjadores e responsável por algumas regências, o momento também foi muito especial: "É um trabalho onde temos que adequar o conhecimento, a erudição que adquirimos na faculdade a essa coisa maravilhosa que é a música popular."

Tudo nos conformes, tudo certo e dentro das regras, mas Zeca já tinha pensado em uma desconstrução, esse desejo era mais forte do que ele. No dia anterior do evento, arquiteta seu plano e liga pra Arlindo Cruz, que até então não faria parte da gravação, e o intima: "Pô cumpadi, não deixa de vir amanhã não." E Arlindo foi.

"Eu tinha brigado com minha mulher e tomado umas. Fui dormir às 7 da manhã, acordei passando mal, mas levantei e fui lá, afinal

Zeca e Falcão, do Rappa, em Xerém (foto: Vera Donato)

ele me chamou e falou pra eu não deixar de ir. Imaginei que fosse pra cantar com ele alguma música, embora não estivesse nada previsto e nem ensaiado. Não deu outra, ele me chamou pro palco e aí a gente começou a versar na farra. A gente gosta de versar e o ideal é versar e esquecer. Se alguém gravar é outra coisa", relembra Arlindo.

Foi o que aconteceu, um grande final, sem ensaio, sem banquinho, o figurino já desconfigurado e uma plateia enlouquecida com o partido-alto de Arlindo Cruz e Zeca Pagodinho que, segundo Max Pierre, é o Nirvana do samba.

Após o lançamento, Zeca foi convidado pelo presidente Lula para um jantar na Granja do Torto onde o DVD seria exibido para ministros e parlamentares. Mesmo tendo como protagonista a música, o encontro foi precedido pelo anúncio de uma reforma ministerial. Acompanhado de sua família e dos produtores Max Pierre e Rildo Hora, o sambista foi o primeiro a chegar, levando sua cerveja, já que o estilo do evento era americano. E, embora Max Pierre quisesse editar a apresentação por achar longa (umas três horas), Lula fez questão de vê-la na íntegra: "Mostra tudo, quero que meu ministério veja um banho de competência." Palavra de presidente.

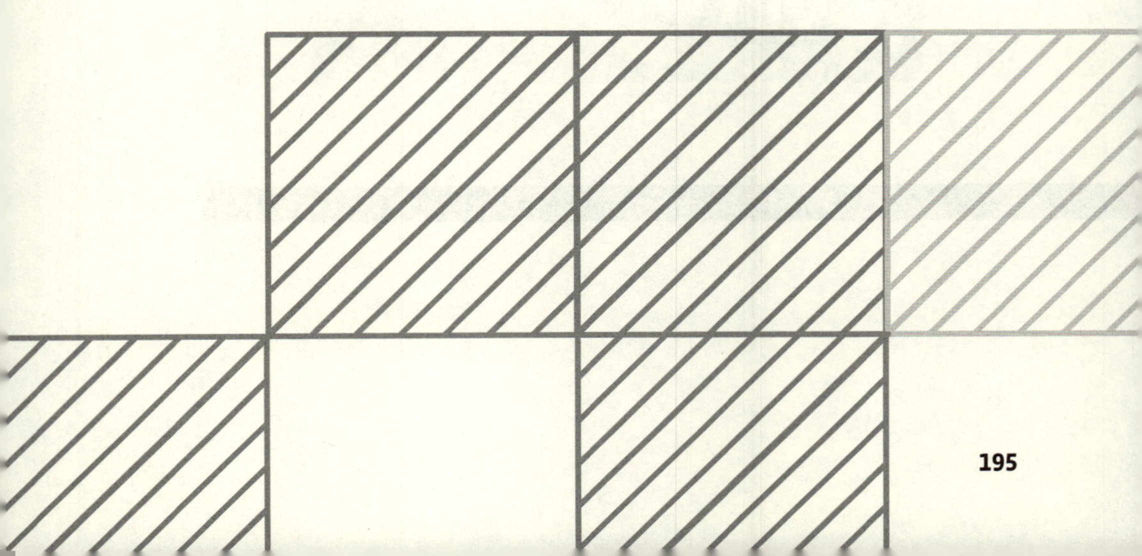

zeca
pagodinho
à vera

17º CAPÍTULO

À VERA (2005)

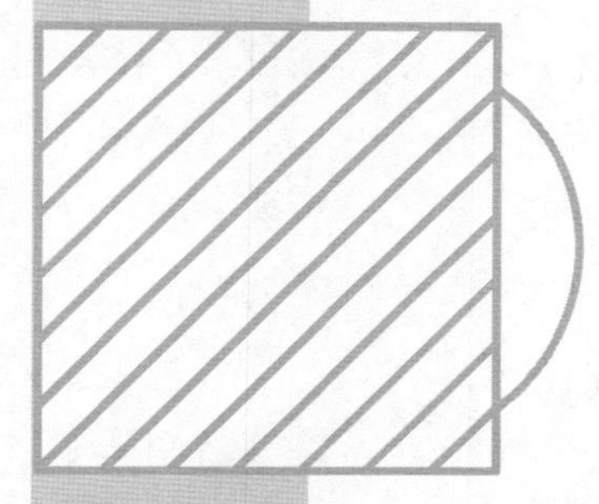

DISCO 17

À VERA (2005)
Gravadora: Universal
Produção: Rildo Hora
Direção de Arte: Gê Alves Pinto
Fotos: Adriana Lins
Concepção Gráfica e Design: Tita Nigri

1. **PRA SÃO JORGE**
(Pecê Ribeiro)
2. **À VERA**
(Bidubi / Brasil / Luizinho Toblow / Elcio do Pagode)
3. **CADÊ MEU AMOR**
(Nelson Rufino / Tais Rufino)
4. **NINGUÉM MERECE**
(Arlindo Cruz / Jorge David / Acyr Marques)
5. **DONA ESPONJA**
(Luiz Grande / Barbeirinho do Jacarezinho / Marcos Diniz)
6. **QUEM É ELA**
(Zeca Pagodinho / Dudu Nobre)
7. **ZECA, CADÊ VOCÊ**
(Joge Aragão / Zeca Pagodinho)
8. **O PAI CORUJA**
(Zé Roberto)
9. **O QUE RESTA DE NÓS**
(Ratinho / Sombrinha)
10. **CORAÇÃO FELIZ**
(Monarco / Mauro Diniz)
11. **CAVACO E SAPATO**
(Zeca Pagodinho / Nei Lopes)
12. **CACHORRO**
(Almir Guineto / Capri)
13. **O BISCATEIRO**
(Serginho Meriti / Jairo Aleixo)
14. **DIZER NÃO PRO ADEUS**
(Dona Ivone Lara / Luiz Carlos da Vila / Bruno Castro)
15. **VIDA DA GENTE**
(Alamir / Roberto Lopes)

Zeca e Jorge Aragão em estúdio (foto: Cristina Granato)

À VERA (2005)

Depois do *Acústico MTV*, era hora de voltar a um disco de inéditas. Afinal, tinham-se passado três anos desde o lançamento do *Deixa a Vida Me Levar* e Zeca, mesmo extremamente satisfeito com o resultado do projeto anterior, já estava sentindo falta de um trabalho com novos sambas. Sendo assim, nasceu *À Vera*.

Os companheiros de Zeca, no caso seus compositores, também partilhavam dessa opinião, como diz o próprio sambista: "Os parceiros já estavam me cobrando, me chamando de preguiçoso."

Cercado por seus fiéis escudeiros como Trio Calafrio, Zé Roberto, Nelson Rufino, Arlindo Cruz, Brasil, Alamir, Bidubi, Luizinho Toblow, Serginho Meriti, Monarco, Sombrinha, Jorge Aragão e com a contribuição da rainha Dona Ivone Lara, Zeca faz um disco que é considerado pela crítica (na categoria dos inéditos) um dos mais equilibrados e representativos desde o álbum *Samba pras Moças*. Nele, o produtor Rildo Hora mantém a qualidade sonora conquistada ao longo do trabalho e escreve uma orquestração grandiosa com direito a uma harpa que se integra a elementos já introduzidos ao samba de Pagodinho.

Com arranjos de Paulão 7 Cordas, Mauro Diniz e Leonardo Bruno, *À Vera* conta com 15 faixas, sendo três delas de Zeca com parceiros e, tal como nos outros discos, mistura canções românticas, temas sociais, religiosos e histórias divertidas.

O disco traz na capa Zeca ao lado da imagem de São Jorge, santo de sua devoção. Já na primeira faixa, ele o reverencia com o samba "Pra São Jorge", de um novo compositor. A música chega da seguinte forma: Pagodinho há três anos residia na Barra da Tijuca e, embora mantendo sua casa em Xerém, frequentava o trailer da Baiana, próximo ao Quebra-Mar, onde parava invariavelmente para tomar sua cerveja. A dona da barraca sabia que quando o amigo estava por lá, queria sossego, jogar conversa fora e evitava assuntos em torno do trabalho, mas virava e mexia um desavisado encostava para lhe mostrar uma música na sua hora "de folga". Mesmo sabendo e respeitando Zeca, a dona do trailer e seu marido, Gabriel, pela primeira vez insistiram para que ele ouvisse um samba de um dos frequentadores do lugar. "Eu sei que tu não gosta, mas vou botar uma música pra tu escutar", decretou o marido de Baiana.

Zeca concordou porque no dia anterior tinha percebido que o rádio com CD player estava com defeito. Pagodinho queria tirar "um sarro" com os amigos e pensou: "Eles vão se lascar... ele vai colocar a música e não vai tocar." Errou e, como tudo na vida do sambista em questão funciona de forma inusitada, o aparelhou funcionou. De cara vieram os versos: "Vou acender velas para São Jorge / A ele quero agradecer / E vou plantar comigo ninguém pode / Para que o mal não possa então vencer." Pronto, para ele, isso era um sinal.

"Além de eu ter achado a música boa, ela falava sobre São Jorge e o rádio que estava quebrado ainda funcionou, tinha que gravar". E é desta forma que o jornalista Pecê Ribeiro consegue lugar no CD do artista.

Pecê Ribeiro, que era figura conhecida nas rodas de samba da cidade e um compositor que se dedicava à música apenas por prazer, conta que compôs a canção em agradecimento a uma benção concedida pelo santo. "Minha neta teve um problema de saúde e estava condenada pelos médicos. Quando a gente não tem mais nada a se agarrar, só resta a fé. Rezei para São Jorge e ele me atendeu. Então, resolvi agradecer com a música. Gravei um CD e resolvi distribuir para as pessoas que conheço. Cantei a música pra Baiana e deixei uma cópia que não funcionou no som do bar. Fiz outra que também não tocou e achamos que o problema era do aparelho"[31], conta o compositor. Não precisa nem dizer o quanto Ribeiro vibrou quando soube que tinha entrado no disco. Coisas de "Jorge".

Olho grande em mim não pega
Não pega não
Não pega em quem tem fé
No coração
(...)
Ogum com sua espada
Sua capa encarnada
Me dá sempre proteção
Quem vai pela boa estrada
No fim dessa caminhada
Encontra em Deus perdão

Se com o novo compositor, Zeca garante o lado religioso do CD, com os antigos parceiros preenche as outras lacunas. Nelson e Taís Rufino são responsáveis pelo samba romântico "Cadê meu amor", música de trabalho que já estava estourada antes mesmo de o disco ser lançado:

31. "Sob as Benções de Zeca". *O Globo*, Rio de Janeiro, Segundo Caderno, 20 de março de 2005.

Gilberto Gil e Zeca (foto: Adriana Lins)

Cadê meu amor tão bonito?
Do início da paixão?
Cadê minha felicidade?
Saudade não abre mão

Não menos romântica é a parceria de Monarco com Mauro Diniz, "Coração feliz", que tem arranjos do próprio Mauro e a participação da Velha Guarda da Portela no coro:

Hoje a minha vida é assim
Tenho a flor, o perfume e o jardim
E paz que voltou em mim
Um novo amor
Me deu a vida
Que eu sempre quis
Meu coração pode dizer
Que hoje é feliz

Ainda nesta linha, o disco traz as músicas "À vera", de Bidubi, Brasil, Luizinho Toblow e Elcio do Pagode; a belíssima "Dizer não pro adeus", de Dona Ivone, Luiz Carlos da Vila e Bruno Castro; e "O que resta de nós", de Alcino Corrêa (o Ratinho) e Sombrinha. Já Serginho Meriti e Jairo Aleixo contribuem no lado social com o samba "O biscateiro" que narra, com uma letra primorosa, a história de um trabalhador que rouba por necessidade e vai preso.

Doutor, não me leve pro xadrez
Pois é a primeira vez que entro nessa furada
Lá em casa não havia mantimento
Foi fraqueza do momento
Eu parti pro tudo ou nada

Zeca e o santo de sua devoção no cenário do show (foto: Vera Donato)

No mais, *À Vera* é só alegria, com o partido-alto de Arlindo Cruz em "Ninguém merece", com direito a improvisos de Zeca; "O pai coruja", de Zé Roberto que dá um recado firme mas muito bem-humorado ao pretendente da filha; a hilária "Dona Esponja", mulher que incorpora uma entidade biriteira que "Quando saca do cachimbo / O fumo de rolo e o seu canivete / Bebe mais de cinco caixas / Sem usar o toalete"; e "Cachorro", de Almir Guineto e Capri, que explica os motivos pelos quais eles desistem de ir à Copa do Mundo na Coreia: "Por lá / Comem cachorro o tempo inteiro / Geleia de perdigueiro, patê de banzé / Pitbull é picanha, rotweiller é filé."

Além dessas, tem o partido-alto de Zeca e Nei Lopes, "Cavaco e sapato"; a faixa "Quem é ela", de Zeca e Dudu Nobre, feito pra "botar fogo" em qualquer roda de samba; e a parceria com Jorge Aragão, "Zeca, cadê você?" que conta com as participações de Marcelo D2 e Seu Jorge. Este samba foi "baseado em fatos reais" como mostra o "causo" abaixo.

Certo dia, Zeca convida Aragão para a festa em comemoração ao aniversário de sua mulher, Mônica. O churrasco seria feito em sua casa de Xerém, mas a notícia sobre o evento "vazou" e foi divulgada em uma rádio. Com medo de a festa ser invadida por "bicões", Pagodinho mudou o local do evento, porém esqueceu de avisar ao parceiro. Chegando à casa, Jorge só encontra o Baixinho, um senhor nordestino "adotado" por Zeca e alçado ao posto de caseiro. Baixinho vivia "chumbado" com o efeito das cachacinhas que tomava, porém era um "cão de guarda" da família. Aragão tenta arrancar dele o novo endereço do festejo, mas só consegue ouvir a seguinte frase: "Moço, o Pagodinho não tá mais aqui não, carregou todo mundo pra outro lugar, mas eu não sei dondé." O parceiro de Zeca, sem a informação, volta para o Rio e, no dia seguinte, por telefone, ainda leva uma bronca do anfitrião porque faltou ao aniversário. Mas, como a amizade desta turma sempre acaba em samba, eles fizeram um nessa mesma ligação. Assim, como conta

Zeca Pagodinho, nasceu o partido: "O Aragão cantava e eu respondia em verso. O pior é que nessa brincadeira, perdemos o samba e só o achamos quatro anos depois."

Ô, Zeca, tu tá morando ondé?
Ô, Zeca, tu tá morando ondé?

Andei de carro, carroça e trem
Perguntando onde é Xerém
Pra te ver, pra te abraçar
Pra beber e papear
Te contar como eu estou
Mas Baixinho me travou
Dizendo que "ocê" mudou
(...)
Estou morando em qualquer lugar
Tô aqui, ali e acolá
Levo a minha vida assim
Pra lhe dizer com sinceridade
Falando a verdade
Vou morar no botequim

O CD é dedicado a Flora e Gilberto Gil, amigos de longa data. "O Gil já havia me dedicado um disco, o *Quanta,* e eu resolvi retribuir o carinho", diz Pagodinho. Com *À Vera,* o sambista conquista pela quarta vez o Prêmio Tim, na categoria "Melhor Álbum de Samba". Ainda nesse ano, Zeca e sua banda partem para a primeira turnê europeia com apresentações em Portugal, Alemanha, Itália, Suíça e Inglaterra.

ACÚSTICO
MTV
MUSIC TELEVISION
ZECA
pagodinho
2
GAFIEIRA

18º CAPÍTULO

ACÚSTICO MTV 2 GAFIEIRA (2006)

1. **BEIJA-ME**
(Mário Rossi / Roberto Martins)
2. **PISEI NUM DESPACHO**
(Elpídio Viana / Geraldo Pereira)
3. **RATATÚIA**
(Roberto Lopes / Canário / Alamir)
4. **QUANDO A GIRA GIROU**
(Serginho Meriti / Claudinho Guimarães)
5. **QUEM É ELA**
(Zeca Pagodinho / Dudu Nobre)
6. **JUDIA DE MIM**
(Zeca Pagodinho / Wilson Moreira)
7. **DONA ESPONJA**
(Luiz Grande / Barbeirinho do Jacarezinho / Marcos Diniz)
8. **CABÔ, MEU PAI**
(Moacyr Luz / Luiz Carlos da Vila / Aldir Blanc)
9. **EXAUSTINO**
(Roberto Lopes / Canário / Nilo Penetra)
10. **SURURU NA FEIRA**
(Luiz Grande / Marcos Diniz / Barbeirinho do Jacarezinho)
11. **O PAI CORUJA**
(Zé Roberto)
12. **MINTA MEU SONHO**
(Jorge Aragão)
13. **TIVE SIM**
(Cartola)
14. **CASAL SEM VERGONHA**
(Arlindo Cruz / Acyr Marques)
15. **LENÇO**
(Monarco / Chico Santana)
16. **AI QUE SAUDADE DO MEU AMOR**
(Arlindo Cruz / Zeca Pagodinho)

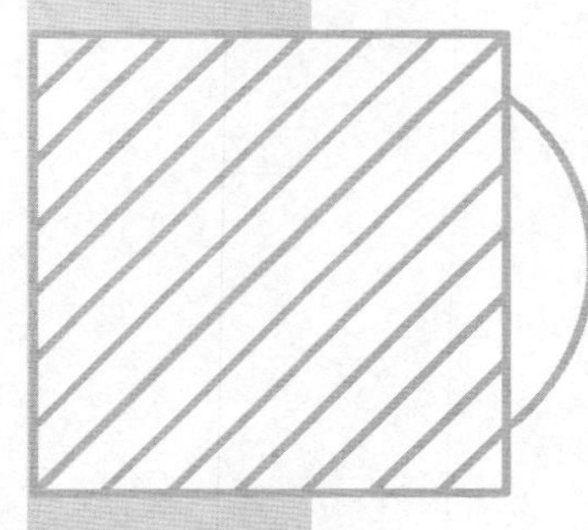

DISCO 18

ACÚSTICO MTV 2 GAFIEIRA(2006)

Gravadora: Universal
Produção: Rildo Hora
Direção de Arte: Gê Alves Pinto
Fotos: Washington Possato
Design: Pedro Einloft e Flávia Oliveira

Foto: Adriana Lins

ACÚSTICO MTV 2 – GAFIEIRA (2006)

Gafieira: uma festa onde o povo se reúne e onde se toca boa música dançante. Assim é o *Acústico MTV 2 – Gafieira*, gravado nos dias 23 e 24 de agosto de 2006 no Estúdio Frank Acker (Pólo Rio de Cine e Vídeo), no Rio de Janeiro, com direção de Joana Mazzuchelli. Neste projeto, Zeca recria, com maestria, o clima dos bailes de gafieira das noites cariocas dos anos 40 e 50.

O trabalho foi proposto a Zeca pelo diretor artístico Max Pierre, homem de grandes projetos e a quem o artista é grato, até hoje, por toda contribuição e zelo dados ao seu trabalho. "Sou grato ao Max não só por mim, porque no momento em que ele garante uma maior qualidade ao meu trabalho isso acaba contribuindo com o samba de uma forma geral. Quando o Rildo, por exemplo, pensava em colocar uma harpa na música, mas achava que não teria verba disponível para tal, o Max, enquanto diretor artístico da gravadora, dizia 'se vai ficar bacana, bota a harpa'", lembra Pagodinho.

Quando Max Pierre contou ao sambista sua ideia de colocá-lo com um *big band*, Pagodinho não hesitou e a primeira coisa que veio em sua cabeça foi que este movimento poderia favorecer as orquestras

Zeca e Dorina (foto: Vera Donato)

de interior, que essa "onda" poderia revitalizá-las. "É incrível como ele sempre pensa em fazer uma ponte, em carregar segmentos ou pessoas para dividir o sucesso com ele", diz o diretor.

Zeca vira o primeiro artista a realizar um segundo *Acústico* pela emissora, trazendo a seu favor a vendagem de 700 mil CDs e 300 mil DVDs do projeto anterior. A responsabilidade era grande, momento de ficar atento. E embora tenha um jeito "relax" de levar a vida, uma fama de irreverente e a preguiça de frequentar ensaios, o sambista esconde outra faceta: fica tenso e é extremamente rigoroso com ele mesmo na hora de um novo show, em particular com as gravações ao vivo, ou quando está prestes a realizar algo importante para a sua carreira. Coisas acontecem ou o corpo o denuncia. Um dos exemplos foi o que ocorreu na época da assinatura de contrato com a Brahma, em 2004. Um dia antes do compromisso, ele mesmo se atropelou. Sim, ele estacionou seu carro em uma ladeira e esqueceu de puxar o freio de mão. Viu o carro em movimento e avistou também alguns meninos brincando na mira do automóvel. Como um super-herói, se meteu na frente do veículo e, para ele, só não quebrou nenhum osso porque, além de ter a proteção de São Jorge, tem a proteção de São Cosme e São Damião, santos das crianças que carrega tatuados no peito. No dia da assinatura do contrato, Zeca, o mais novo garoto propaganda da cervejaria, apareceu de muleta e com um dos braços imobilizado.

Na gravação do primeiro MTV, outro fato: Zeca foi acometido por uma crise de coluna. No segundo, a história foi um pouco pior. Sua coluna, mais uma vez, travou e ele ficou rouco. Porém, como os anjos da guarda estão sempre por perto, nesta ocasião eles apareceram na figura dos médicos, e hoje amigos, Dr. Deusdete Gomes do Nascimento, ortopedista, Dr. Marcelo Kalichsztein, clínico, e Felipe Abreu, fonoaudiólogo. E para acabar de vez com qualquer possibilidade de perigo, ou mandinga, o tratamento foi finalizado pela reza de Tia Doca, já no camarim. Com esta equipe, não houve nada que pudesse abalá-lo e ele entra em cena "rente que nem pão quente". Entretanto confessa: "Eu sempre fico nervoso antes de entrar no palco, mas depois que eu entro eu sei levar as coisas na responsa, sei que carrego uma banda segura, uma banda de verdade, e sei que estou cercado por bons profissionais, então não tem como não dar certo."

Para diversificar a sonoridade das canções deste trabalho, o produtor musical Rildo Hora chama, para se juntar a ele, os mais requisitados e competentes arranjadores do país. Um time de primeira, formado pelo próprio Rildo Hora, Cristóvão Bastos, Leonardo Bruno, Vitor Santos, Lincoln Olivetti, Ivan Paulo, Paulão 7 Cordas, Julinho Teixeira, Jota Moraes e Humberto Araújo, parte para a gravação.

"No primeiro *Acústico* eu fiz quase todos os arranjos, já no *Gafieira* houve uma mudança, coloquei mais nove arranjadores para dar aquela característica de timbre diferente. Com esse povo todo reunido o disco ficou maravilhoso!", orgulha-se Rildo.

Acompanhado por uma orquestra com cerca de 40 músicos e pela banda Muleke, formada por alguns dos melhores ritmistas brasileiros que estão com ele desde o início da carreira (Marcos Esguleba, Felipe de Angola, Ura, Jaguará e Macalé), Zeca Pagodinho apresenta um repertório de sambas de gafieira clássicos como "Piston de gafieira" (Billy Blanco); "Beija-me" (Roberto Martins e Mário Rossi); "Pisei num despacho" (Geraldo Pereira e Elpídio Viana); "Tive sim" (Cartola); "Tarzan, o filho do alfaiate" (Noel Rosa e Vadico); e "Se você visse" (Dino 7 Cordas e Del Loro). Nesta última, ele conta com a participação do grande intérprete Miltinho.

Conhecido como "Rei do ritmo", Miltinho iniciou sua carreira em 1940. Passou pelos conjuntos vocais Quatro Ases e um Coringa, Cancioneiros do Luar e Namorados da Lua como cantor e pandeirista. Mas foi na década de 1960 que, com sua voz anasalada e metálica, se consagrou com o sucesso "Mulher de trinta". Ficou marcado por sua bossa, balanço e sua divisão ao cantar samba.

Você, mulher
Que já viveu, que já sofreu
Não minta
Um triste adeus nos olhos seus
A gente vê, mulher de trinta
No meu olhar, na minha voz
Um novo mundo, sinta
É bom sonhar, sonhemos nós
Eu e você, mulher de trinta

Fã do cantor, Pagodinho há tempos queria tê-lo em um de seus trabalhos e esta era a oportunidade ideal. "Tenho todos os discos de Miltinho, sou fã de carteirinha. Ele é mais um dos grandes artistas esquecidos que eu, há anos, pensava em homenagear." Esta gravação registra um momento magistral, um encontro de divisões rítmicas entre Zeca e um de seus ídolos.

Além dos clássicos, Zeca deu lugar no repertório para os sambas "Inocente fui eu", (Zé Luiz e Nei Lopes) – que teve a maravilhosa participação do saudoso Paulo Moura em um solo de clarineta –; "Cabô meu pai" (Moacyr Luz, Luiz Carlos da Vila e Aldir Blanc); e para as regravações de "Quem é ela" (Zeca Pagodinho e Dudu Nobre); "Dona Esponja" (Trio Calafrio); "O pai coruja"(Zé Roberto); "Judia de mim" (Zeca Pagodinho e Wilson Moreira); "Ai que saudade do meu amor" (Zeca Pagodinho e Arlindo Cruz); entre outras. A Velha Guarda, presença cativa nos discos, participa nas músicas "Academia do samba" (Chico Santana); "Lenço" (Francisco Santana e Monarco); e em "Coração em desalinho" (Monarco e Ratinho), na qual ganha reforço de um coro com-

Com Tia Doca e Áurea (foto: Adriana Lins)

posto por Nilze Carvalho, Teresa Cristina, Juliana Diniz e pela amiga Dorina.

Entram também no projeto as inéditas: "Quando a gira girou" (Serginho Meriti e Claudinho Guimarães), "Ratatúia" (Roberto Lopes, Canário e Alamir), "Exaustino" (Roberto Lopes, Canário e Nilo Penetra), uma tradução para malandro preguiçoso, e a hilária "Sururu na feira" (Trio Calafrio).

Mariazinha nega encrenqueira
Chegou lá na feira e armou um bafafá
Derrubou o tabuleiro do seu Belarmino
Misturou pepino com maracujá
E depois desse sururu quase que entrou em cana
A barraca de banana ela pisoteou
Meteu a mão na cara de um vacilão
Que olhou, piscou pra ela e o bicho pegou

Com cenário inspirado nos Arcos da Lapa e com um formato menos rígido – já não há mais a regra de cantar sentado – a gravação foi feita na presença de uma plateia de cerca de 200 pessoas, entre amigos e fãs. O resultado foi espetacular, mas, por ironia, gera certa preocupação na empresária Leninha Brandão – ela começa a trabalhar com Zeca pouco antes da realização do projeto – e no diretor musical dos shows das turnês, Paulão 7 Cordas. Fazia-se necessária alguma mudança estrutural na banda para que as apresentações pelo Brasil pudessem refletir a atmosfera do DVD.

"Tivemos que mudar a configuração da banda, colocamos seis sopros e depois mais dois para poder levar para a estrada o clima da gafieira. Acabamos, depois, incorporando quatro destes metais ao trabalho. Eles estão conosco até hoje", nos relata Paulão.

E assim, a banda Muleke, além dos percussionistas citados, ganha reforço e fica com a seguinte formação: Paulão 7 Cordas (violão), Alfredo Galhões (teclados), Henrique Band (sax), JB Maia (bateria), Luis Fernando Louchard (baixo), Paulinho Galeto (cavaquinho), Oswaldo Cavalo e Silvia Nara (vocais), Vitor Motta (sax e flauta), Nilton Rodrigues (trompete) e Roberto Marques (trombone). Ao todo, um grupo de 33 pessoas, entre músicos, técnicos e produtores, acompanha o artista em todos os seus espetáculos pelo país.

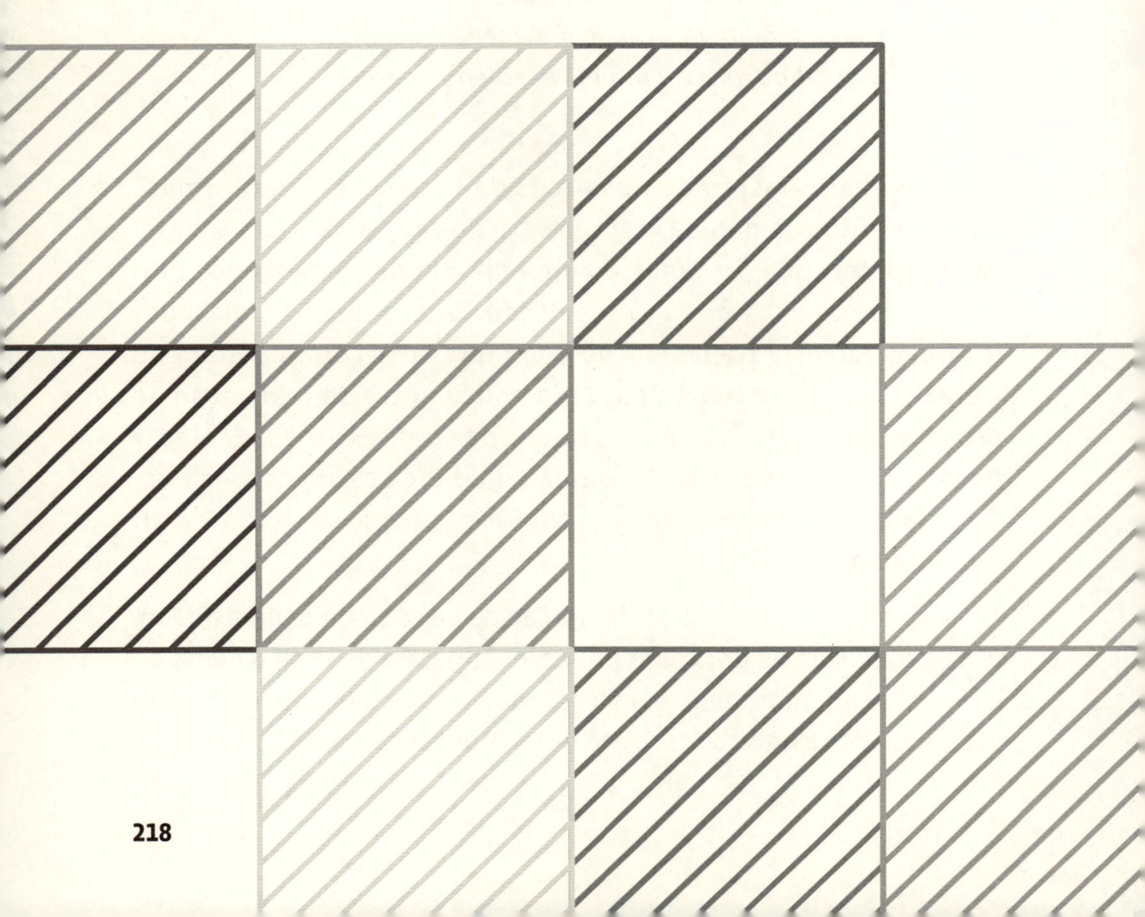

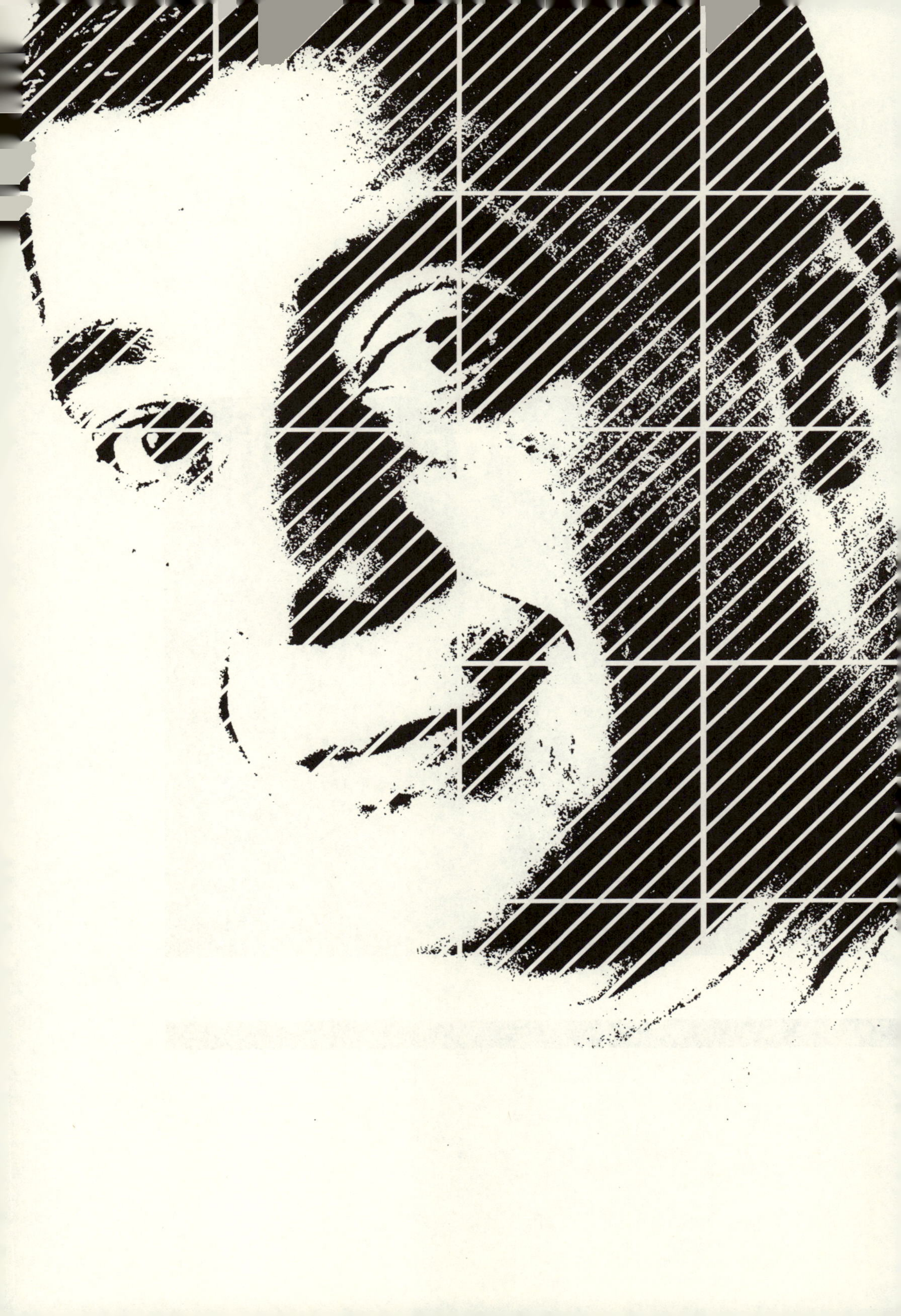

Zeca Pagodinho
UMA PROVA DE AMOR

19º CAPÍTULO

UMA PROVA DE AMOR (2008)

1. **UMA PROVA DE AMOR**
(Nelson Rufino / Toninho Geraes)
2. **NÃO HÁ MAIS JEITO**
(Mauro Diniz / Monarco)
3. **NORMAS DA CASA**
(Zé Roberto)
4. **SE EU PEDIR PRA VOCÊ CANTAR**
(Arlindo Cruz / Zeca Pagodinho)
5. **FALSAS JURAS**
(Candeia / Casquinha)
PECADORA ARREPENDIDA
(Jair do Cavaquinho / Joãozinho da Pecadora)
MANHÃ BRASILEIRA
(Manacéia)
6. **ESTA MELODIA**
(Bubu da Portela / Jamelão)
7. **QUE ALEGRIA**
(Alamir / Roberto Lopes / Zé Roberto)
8. **ETA POVO PRA LUTAR**
(Badá / Bandeira Brasil / Fernando Magarça / Gilson Bernini)
9. **OGUM**
(Claudemir / Marquinhos PQD)
10. **TERREIRO EM ACARI**
(Alamir / Roberto Lopes / Nilo Penetra)
11. **SINCOPADO ENSABOADO**
(Barbeirinho do Jacarezinho / Luiz Grande / Marcos Diniz)
12. **SUJEITO PACATO**
(Claudinho Guimarães / Serginho Meriti)
13. **ENTÃO LEVA**
(Bira da Vila / Luiz Carlos da Vila)
14. **PRA NINGUÉM MAIS CHORAR**
(Almir Guineto / Dudu Nobre / Fred Camacho)
15. **SEMPRE ATRAPALHADO**
(Arlindo Cruz / Zeca Pagodinho)
16. **SAMBOU, SAMBOU**
(João Donato / João Mello)

DISCO 19

UMA PROVA DE AMOR (2008)
Gravadora: Universal
Produção: Rildo Hora
Capa: GPS Direção Gráfica
Direção de Arte: Gê Alves Pinto
Fotos: Adriana Lins e Henrique Pontual

Com Beth Carvalho e Regina Casé (foto: Bertrand Linet)

UMA PROVA DE AMOR (2008)

A vida lá tem mais graça
E tem muito mais valor
Quanto mais o tempo passa
Mais me dá saudade do meu bangalô
Todo sujeito pacato
Dado à simplicidade
Quanto mais perto do luxo
Mais longe ele fica da felicidade

(Trecho de "Sujeito Pacato", de Serginho Meriti e Claudinho Guimarães)

Ano de 2008. A carreira de Pagodinho permanecia no auge, seus discos alcançavam ótima vendagem, os prêmios eram vários, a popularidade completamente conquistada. Com o lançamento de *Uma Prova de Amor*, 19º álbum da discografia do artista, a maioria dos jornais da época afirmava que Zeca era uma unanimidade de público e crítica, discordando, assim, da máxima do dramaturgo Nelson Rodrigues de que toda a unanimidade é burra.

Embora desfrutando de todo este prestígio, o artista passava por um momento nostálgico: estava há seis anos residindo na Barra da Tijuca, mas sentia falta da casa mantida "na roça", sentia falta de Xerém. Os versos que abrem esse capítulo são da 12ª faixa do CD e, apesar de a música não ser de autoria de Pagodinho, traduziam com exatidão seu sentimento. Em entrevista ao jornalista João Pimentel, o sambista chegou a desabafar: "Aqui na Barra tudo começa 2h, 3h da tarde. As festas começam à meia-noite... E eu não sou mais disso, não aguento. Então, acabo não indo a lugar nenhum. Em Xerém eu acordava às seis da manhã e meus amigos já estavam todos de pé. Por aqui, acabei aprendendo a ver novela."[32]

O novo disco foi feito baseado em suas paixões: o samba, os mitos, a família, a mulher, o Rio de Janeiro e o Brasil. Não obstante, o repertório – praticamente todo escolhido em reuniões regadas com muitas cervejas e comilança no seu sítio, no distrito de Duque de Caxias – traz 16 faixas e arranjos de Rildo Hora, Mauro Diniz, Paulão 7 Cordas, Eduardo Neves e Leonardo Bruno.

O CD abre com a faixa-título, "Uma prova de amor", de Nelson Rufino e Toninho Geraes. Mais uma vez um samba gravado por Zeca Pagodinho é sucesso nas rádios de todo o Brasil antes mesmo de o disco chegar às lojas.

"Nelson Rufino é o maior fazedor de *hits*", avaliza Rildo Hora. "Ele, com aquele timbre que lembra Luiz Gonzaga, aquela coisa meio nordestina, tem sempre uma música boa pra oferecer. E nesta parceria com Toninho Geraes mostra o refinamento que uma música de amor pode ter."

Não menos refinada é a letra de "Então leva", de Bira da Vila e Luiz Carlos da Vila. Considerado um dos maiores letristas do samba, Luiz Carlos das Vilas – como o chamava o compositor e sociólogo Nei Lopes, pois ele morava na Vila da Penha e era da Unidos de Vila Isabel – despontou, no início dos anos 1980, como um dos expoentes da nova gera-

32. "Prova de Amor ao melhor do samba". *O Globo*, Rio de Janeiro, Segundo Caderno, página 2, 30 de setembro de 2008.

ção que participava das rodas de samba do Cacique de Ramos, ao lado de Zeca Pagodinho, Arlindo Cruz, Almir Guineto, Jorge Aragão, entre outros bambas. Infelizmente o poeta não teve oportunidade de apreciar a gravação de seu samba. *Uma Prova de Amor* foi lançado em setembro e no mês seguinte Luiz, que estava internado desde agosto, morre de complicações decorrentes de um câncer. Sua obra, porém, o eterniza.

Leva, tudo aquilo que eu dei
Mas não leva tudo que eu podia dar
Leva, tudo aquilo que eu dei
Mas não leva tudo que eu podia dar
Leva o Van Gogh e o buldogue de raça que eu criei
E a medalha que um jogo de malha nos aproximou
Leva o aparelho de jantar e a baixela de prata
E o retrato daquela mulata que o Lan desenhou
Leva a obra completa de Machado de Assis
Entre as curvas e retas, sua bissetriz
Leva o apartamento que está desocupado
Já que não quer mais viver ao meu lado
Então leva!...

Sempre presentes, Monarco e seu filho e parceiro, Mauro Diniz, contribuem desta vez com "Não há mais jeito", samba que derruba do repertório do disco o clássico "Dolores", como conta Monarco: "Eu morava na Mangueira e um dia, remexendo em umas fitas em casa, ouvi este samba e aí fui até o Mauro, que residia no Méier, e cantei a música pra ele. Ele gostou e colocou uma segunda que foi uma pancada. Um dia a gente cantarolou a canção perto do Zeca e ele perguntou: 'É nova? Dolores vai dançar.' E dançou 'Dolores' que, a princípio, já tinha sido escolhida para entrar no CD. E eu perguntei: 'Você está liberando o samba?' Ao que Zeca respondeu: 'Não, que isso! Segura ele pra mim!'"

Arlindo Cruz e Zeca (foto: Vera Donato)

"Não há mais jeito" conta com a participação da Velha Guarda da Portela que também coloca voz em um *medley* com três sambas de quadra da escola de Madureira e Oswaldo Cruz: "Falsas juras" (Candeia e Casquinha), "Pecadora arrependida" (Jair do Cavaquinho e Joãozinho da Pecadora) e "Manhã brasileira" (Manacéia).

Uma outra regravação tem lugar no disco, "Essa Melodia", de Bubu da Portela e Jamelão – gravada originalmente em 1959 pelo mangueirense e destaque do filme *O Mistério do Samba*, de 2008, produzido por Marisa Monte. O registro acabou servindo, sem querer, como uma homenagem póstuma de Zeca Pagodinho a Jamelão, morto em junho daquele ano, aos 95 anos. "Este samba já fazia parte do repertório e era para homenageá-lo em vida, ele merecia", diz o sambista.

A irreverência desta vez não ficou nas mãos do Trio Calafrio, que marca território com "Sincopado ensaboado" junto com "Terreiro em Acari" (Alamir e Roberto Lopes), dando um clima de gafieira ao disco. Quem apresenta o lado divertido é Zé Roberto, com "Normas da casa", um recado para os bicões inconvenientes:

Da próxima vez que quiser me visitar, avisa: "vai lá". Mas avisa
Porque vou as normas da casa mudar
Quem não for amigo só entra de crachá
Pra moralizar, vou ter que mudar
Dessa vez foi demais, você trouxe a família da sua vizinha
Comadre, comprade, cunhado, madrinha
Fizeram uma zorra lá no meu quintal, total
Sanfona, viola, cavaco, pandeiro
Rolou samba, forró, hip-hop, de tudo por lá
Babou! Chegaram bem na hora que eu ia almoçar
Que horror! Quando eu falei "servido", um já estava em meu lugar
Sujou! Comeram e beberam quase tudo
Que povo mal-educado (lá foi meu frango com quiabo)

Artista popular que é, Zeca não esquece de homenagear o povo brasileiro com o samba "Etâ povo pra lutar" (Brasil, Badá e Fernando Magarça). A música passou a ter presença cativa no *set list* dos shows do artista Brasil afora.

Êta povo pra lutar, vai gostar de trabalhar
Nunca vi tão disposto, nunca está de cara feia
Sempre traz escancarado
Um franco sorriso no rosto
Se rola uma "intera"
É o primeiro a pôr a mão no bolso
Se um vizinho ao lado está passando
Por má situação
Ele faz um mutirão e ajeita a situação
Então, por que que essa gente que tem
Não aprende a lição
Com esse povo que nada tem
Mas tem bom coração

Como mencionado anteriormente, Zeca Pagodinho é devoto de São Cosme e São Damião e de São Jorge – santo que aprendeu a venerar quando, para ganhar dinheiro, foi apontador de jogo do bicho, entre vários empregos e ocupações. "A figura de São Jorge é muito forte no subúrbio e a maioria dos bicheiros e sambistas tem uma ligação fervorosa com o santo pois ele nos protege contra os inimigos e cuida dos nossos caminhos, um ótimo guardião pra quem anda na noite", atesta Zeca, que carrega sempre no pescoço um cordão com a medalha do santo guerreiro. Ao prestar um novo tributo a São Jorge, o sambista garante o momento mais emocionante do disco com a gravação da sincrética "Ogum" (Claudemir e Marquinhos PQD), que recebe arranjo caprichado do maestro Leonardo Bruno.

Após ter colocado voz na música, Pagodinho sente a necessidade de finalizá-la com a oração de seu protetor. Mas queria uma outra voz que não a dele para dar destaque à prece e ninguém mais indicado do que um dos "cavaleiros de Jorge", o cantor Jorge Ben Jor. O artista aceitou de cara o convite, entrou no estúdio e gravou a oração "de primeira", arrancando lágrimas de todos que presenciaram o momento.

Deus adiante paz e guia
Encomendo-me a Deus e a virgem Maria minha mãe
Os doze apóstolos meus irmãos
Andarei nesse dia, nessa noite
Com meu corpo cercado vigiado e protegido
Pelas as armas de são Jorge
São Jorge sentou praça na cavalaria
Eu estou feliz porque eu também sou da sua companhia

Eu estou vestido com as roupas e as armas de Jorge
Para que meus inimigos tenham pés e não me alcancem
Tenham mãos e não me peguem e não me toquem
Tenham olhos e não me enxerguem
E nem em pensamento eles possam ter para me fazerem mal
Armas de fogo o meu corpo não alcançarão
Facas e lanças se quebrem sem o meu corpo tocar
Cordas e correntes se arrebentem se o meu corpo amarrar
Pois eu estou vestido com as roupas e as armas de Jorge
Jorge é da Capadócia.
Salve Jorge!

Das 15 músicas, apenas duas são assinadas por Zeca, em parceria com Arlindo Cruz: "Se eu pedir pra você cantar" e "Sempre atrapalhado". É inegável a química que rola – "não no sentido bíblico", gritam sempre – entre Zeca e Arlindo. Mesmo fazendo sambas por uma vida inteira, eles mantêm a criatividade e a inspiração de sempre.

"Arlindo é meu amigo, meu parceiro e compadre, quando nos reunimos pra fazer samba é um Deus nos acuda, não existe o dia seguinte. Há pouco tempo ele me ligou para a gente combinar de se encontrar e disse: 'Amanhã tua alma me pertence.' Eu respondi que ia deixar minha alma em casa, trancada no cofre", conta Zeca.

Para Rildo Hora, Arlindo e Zeca são "duque na mesma linha", são muito parecidos. "A bola cai redonda pros dois, por isso essa parceria tão duradoura", reconhece. O maestro diz também que o fato de Zeca colocar poucas autorais nos discos não se deve à preguiça, mas sim à generosidade dele com os outros compositores. "A gente briga com ele para botar música no CD, mas ele quer ajudar os colegas, quer puxar os companheiros pro sucesso, não quer o sucesso só pra ele. Zeca Pagodinho não tem a embriaguez da fama."

O diretor artístico Max Pierre concorda com Rildo e acrescenta: "Eu já vi Zeca abrindo mão de músicas para dar espaço a um compositor que estava preso só para ajudar a família do sujeito aqui fora. Ele, inclusive, faz questão de fazer um revezamento com os compositores, já que os parceiros são muitos e, em geral, o CD tem 14 faixas. A cada disco ele bota um e tira outro para todos terem oportunidade."

Zeca reconhece a importância desta atitude para os compositores e faz questão de mantê-la. "Já fizeram isto comigo, agora chegou a hora de eu fazer também", diz, completando: "É muita gente pra gravar e pra eles ter um música no meu disco é garantia de uma poupancinha: o cara, às vezes, consegue tirar uns R$ 40 mil. Mas eu não faço favor a ninguém, só gravo se a música for boa. Tem compositor que fala: 'Estou precisando gravar com você' e eu peço pra botar a música. Se for boa, entra, senão até ajudo com remédio ou no telhado. Mas não vou gravá-la porque o sujeito tá doente", sentencia.

Além de todo esse repertório, *Uma Prova de Amor* ganha mais uma canção: "Sambou, sambou", de João Donato e João Mello. Zeca e Donato se encontraram, por acaso, no estúdio onde ambos estavam gravando seus respectivos CDs. Zeca chegou ao local, vindo de São Paulo, com uma revista de bordo, na qual Donato era personagem de uma entrevista em que aparece de pijama. Quando viu o pianista se aproximou para conhecê-lo melhor. Donato mostrou a composição lançada nos Estados Unidos, em 1962, e convidou Pagodinho para dividir com ele a faixa. Simples assim, a música entrou no disco de João Donato e virou faixa bônus do CD de Zeca Pagodinho.

Zeca dedica *Uma Prova de Amor* para a amiga Regina Casé com uma frase afetuosa: "Este disco é dedicado a Regina Casé, gente da gente." A homenageada, então, retribui o carinho com um texto distribuído aos jornalistas, junto com o CD, que mostra toda sua estima pelo sambista:

> *O Zeca sofre porque já não consegue mais andar de bobeira na cidade mas ele, com seus super poderes, capta tudo que tá rolando na rua.*
>
> *E traz pra esse CD tudo que tá rolando na sua cidade, no Brasil.*
>
> *Tá tudo aí!*
>
> *Tem pra todo mundo!*
>
> *Pra quem quer só sambar...*
>
> *Pra quem quer uma bem romântica pra dedicar pro seu bem...*
>
> *Pra quem tem saudade...*
>
> *Pra quem quer gritar que do jeito que tá não dá mais!*
>
> *Pra quem tem fé...*
>
> *E pra quem não tem, tem o Zeca, um guerreiro que luta sem parar pra devolver em dobro toda a beleza e a força que vem do povo.*

Uma Prova de Amor dá a Zeca Pagodinho mais dois troféus do Prêmio da Música, o de "Melhor Disco" e o de "Melhor Cantor de Samba".

Especial MTV
Zeca Pagodinho
UMA PROVA DE AMOR · AO VIVO

20º CAPÍTULO

UMA PROVA DE AMOR AO VIVO (2009)

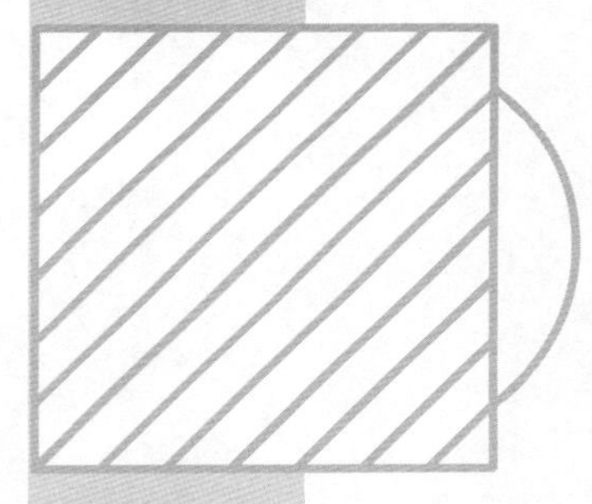

DISCO 20

UMA PROVA DE AMOR (2009)
Gravadora: Universal
Produção: Rildo Hora
Direção de Arte: Gê Alves Pinto
Projeto Gráfico: Guilherme Aguirre e Patricia Azevedo
Fotos: Washington Possato

1. **DEIXA A VIDA ME LEVAR**
(Serginho Meriti / Eri do Cais)
2. **UMA PROVA DE AMOR**
(Nelson Rufino / Toninho Geraes)
3. **ÊTA POVO PRA LUTAR**
(Badá / Bandeira Brasil / Fernando Magarça / Gilson Bernini)
4. **JURA**
(Sinhô)
5. **SE ELA NÃO GOSTA DE MIM**
(Zeca Pagodinho / Arlindo Cruz / Junior Dom)
6. **OGUM**
(Claudemir / Marquinhos PQD)
7. **QUANDO A GIRA GIROU**
(Serginho Meriti / Claudinho Guimarães)
8. **NORMAS DA CASA**
(Zé Roberto)
9. **MANEIRAS**
(Sylvio da Silva)
10. **CORAÇÃO EM DESALINHO**
(Monarco / Ratinho)
Participação especial: Monarco
11. **VERDADE**
(Nelson Rufino / Carlinhos Santana)
12. **NÃO SOU MAIS DISSO**
(Jorge Aragão / Zeca Pagodinho)
13. **LAMA NAS RUAS**
(Almir Guineto / Zeca Pagodinho)
14. **PATOTA DE COSME**
(Nilson Santos / Carlos Sena)
15. **ESTA MELODIA**
(Bubu da Portela / Jamelão)
16. **QUANDO EU CONTAR (IAIÁ)**
(Serginho Meriti / Beto Sem Braço)
HEI DE GUARDAR TEU NOME
(Arlindo Cruz / Adilson Victor)
VOU LHE DEIXAR NO SERENO
(Beto Sem Braço / Jorginho Saberás)
MACUMBA DA NEGA
(domínio público)
BAGAÇO DA LARANJA
(Arlindo Cruz / Zeca Pagodinho)

Max Pierre, Jorge Ben Jor e Rildo Hora na gravação de "Ogum" (foto: Adriana Penna)

UMA PROVA DE AMOR – AO VIVO (2009)

Em julho de 2009, Zeca Pagodinho parte para a gravação ao vivo do show *Uma Prova de Amor*, no Citibank Hall, na Barra da Tijuca. Desta vez, acreditem, nenhuma notícia de piripaques ou incidentes. Cinco meses antes da gravação, Zeca, às vésperas de seus 50 anos, é internado com pneumonia, fazendo com que uma grande festa marcada para acontecer na Cidade do Samba fosse adiada por uma semana. Sua cota de tensão já tinha sido esgotada e agora era vez de mostrar, em DVD, toda a vibração que faz seus espetáculos lotarem as plateias do país.

Dirigido por Joana Mazzuchelli, esse acaba sendo o segundo registro de um show tipicamente de estrada. O primeiro foi o do disco de 1999, *Zeca Pagodinho*, lançado em VHS, mas que teve o formato atualizado com a chegada do DVD. Embora feito em parceria com a MTV, o novo trabalho não fazia parte da série "Acústico" e, por esse motivo, o artista vai para o palco com toda a liberdade.

Com produção musical de Rildo Hora e Paulão 7 Cordas e roteiro assinado por Túlio Feliciano, o show é dividido em blocos que representam as várias homenagens ou provas de amor feitas pelo sam-

No estúdio com Jorge Ben Jor (foto: Adriana Penna)

bista através da música. Zeca aproveita a oportunidade para fazer um balanço da carreira e além de colocar as canções do repertório de *Uma Prova de Amor* – como a faixa-título – inclui "Então leva", "Normas da casa" e "Etâ povo pra lutar". Também estão presentes sambas de discos recentes, como "Ratatúia", "Quando a gira girou" e "Jura"; além de sucessos da carreira, como "Deixa a vida me levar", "Faixa amarela", "Alô, mundo", "Maneiras", "Minha fé"; entre muitas outras. São 16 faixas no CD e dez a mais no DVD.

O espetáculo conta ainda com as participações de Almir Guineto no clássico "Lama nas ruas", dele em parceria com Zeca Pagodinho; de Monarco em "Coração em desalinho"; de Jorge Ben Jor, que mais uma vez emociona na participação em "Ogum"; e da Velha Guarda da Portela em "Esta melodia", "Vivo isolado no mundo" e no *pot-pourri* com os sambas: "Quando eu contar Iaiá", "Hei de guardar teu nome", "Vou lhe deixar no sereno", "Quem sorriu foi a patroa" e "Bagaço da laranja". Este *medley* encerra o show em grande estilo, com Zeca e seus fiéis companheiros, incluindo aí a Banda Muleke, em plenitude. Um Zeca feliz, no auge dos seus 50 anos, mais uma vez consegue, com seu trabalho, proporcionar alegria. Um dos motivos pelos quais ele optou pelo caminho da música.

ZECA
pagodinho
VIDA
da minha VIDA

21º CAPÍTULO

VIDA DA MINHA VIDA (2010)

1. **VIDA DA MINHA VIDA**
(Sereno / Moacyr Luz)
2. **POXA**
(Gilson de Souza)
3. **HOJE SEI QUE TE AMO**
(Nelson Rufino)
4. **QUEM PASSA VAI PARAR**
(Efson / Marquinhos PQD / Carlito Cavalcanti)
5. **PELA CASA INTEIRA**
(Almir Guineto / Magalha / Fred Camacho)
6. **DESACERTO**
(Toninho Geraes / Fabinho do Terreiro / Randley Carioca)
7. **UM REAL DE AMOR**
(Raimundo Fagner / Brandão)
8. **CANDEEIRO DA VOVÓ**
(Dona Ivone Lara / Délcio Carvalho)
9. **ORGULHO DO VOVÔ**
(Zeca Pagodinho / Arlindo Cruz)
10. **O PUXA-SACO**
(Alamir /Roberto Lopes /Levy Vianna)
11. **DOLORES E SUAS DESILUSÕES**
(Monarco / Mauro Diniz)
12. **ENCANTO DA PAISAGEM**
(Nelson Sargento)
13. **O SOM DO SAMBA**
(Trio Calafrio)
14. **CHAMA DA SAUDADE**
(Beto Sem Braço/Serginho Meriti)
15. **O GARANHÃO**
(Zé Roberto)

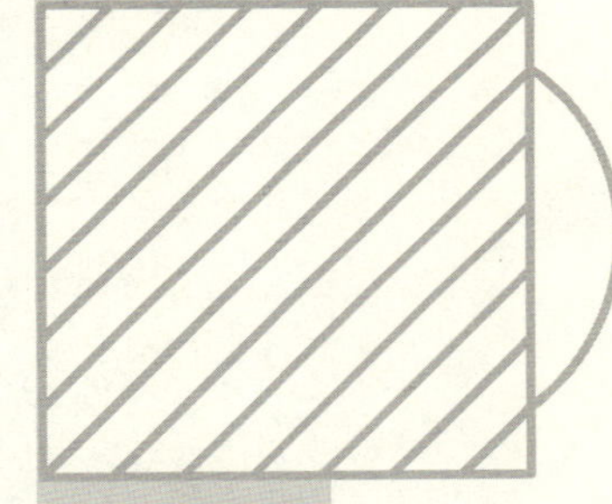

DISCO 21

VIDA DA MINHA VIDA (2010)
Gravadora: Universal
Produção: Rildo Hora
Direção de Arte: Gê Alves Pinto
Projeto Gráfico: Carol Cruz
Fotos: Guto Costa

Beth Carvalho e Zeca (foto: Bertrand Linet)

VIDA DA MINHA VIDA (2010)

Sorriso na face, alegria na alma. Alguns fatos novos começaram a acontecer na vida de Zeca Pagodinho nos anos 2000 e o melhor deles foi o nascimento de Noah, seu primeiro neto, filho de Eliza, no dia 19 de fevereiro de 2010. "Ele é para o meu filho mais do que um avô, ele é um pai", diz a filha de Zeca. Noah é a novidade da casa desde a chegada de Maria Eduarda, de 10 anos, filha caçula do casal Jessé (Zeca) e Mônica, casados há 28 anos, tempo em que constituíram uma família de quatro filhos, que além das meninas, conta com mais dois rapazes, Eduardo, o primogênito, e Louiz. "A criança é a alegria da casa", justifica o avô coruja.

Outra mudança desta fase foi a completa adaptação ao novo endereço. Se o ano de 2008 foi marcado pela falta que Zeca sentia de Xerém, pode-se dizer que isto faz parte do passado. Embora apegado a sua casa no município de Duque de Caxias (ele está por lá sempre que os compromissos permitem), o tempo fez os ajustes necessários para que ele se adequasse à Barra da Tijuca, pois acaba encontrando no lugar elementos simples identificados com sua personalidade.

Maestros Leonardo Bruno e Rildo Hora (foto: Adriana Lins)

Após um "estudo" sobre o local e suas proximidades, Pagodinho descobriu os botequins do Terreirão, comunidade localizada no Recreio dos Bandeirantes. Além disso, fez da barraca do hoje amigo Lelê, situada no Posto 5, seu escritório, onde marca ponto quase todos os dias e, vira e mexe, leva um porco ou um cabrito assados trazidos de Xerém para ser degustado pelos novos amigos.

Zeca, que reclamava da falta de um amante da cachaça para conversar, encontrou Cobra Coral, um morador de rua que se encaixa perfeitamente ao perfil. Para entender a amizade entre os dois, basta saber que o sambista colocou uma foto sua com o amigo em um porta retrato digital junto a fotos da família na sala de sua casa.

O artista já protagonizou, no bairro, várias histórias típicas do seu jeito Pagodinho de ser. Uma delas é a da carona no carro de um *petshop*: dia desses, Zeca, em suas andanças pela orla, foi parar um pouco distante de sua casa. Na volta, decidiu que pegaria um táxi. Diante do engarrafamento em que se encontrava, ficou, como de costume, impaciente, resolveu saltar e viu, um pouco mais à frente, um veículo a serviço de um *petshop*. Zeca pergunta:

– Tá indo pra onde?

O motorista, custando a acreditar na cena, respondeu:

– Vou entregar este cachorro ali na frente.

– Você pode me dar uma carona? – indagou Pagodinho.

O motorista, então, salva Zeca. E em retribuição à gentileza do funcionário da loja, o artista se prontifica a entregar o cachorro diretamente à dona, uma senhora que até entender o que estava acontecendo achou estar sendo vítima de uma "pegadinha".

Mas, se por um lado, algumas mudanças aconteceram, há um ponto que se mantém: o sambista continua dando mais relevância ao seu lado de intérprete, tendo em vista que, em *Vida da Minha*

Vida, mais uma vez, ele abre espaço para seu time de compositores e assina apenas uma música, a homenagem ao neto "Orgulho do vovô" que fez em parceria com Arlindo Cruz.

A partir do momento em que Zeca se muda para a Zona Oeste do Rio, os encontros com Arlindo se tornam mais frequentes, pois a residência do parceiro está localizada no mesmo bairro. Muitas obras já foram feitas e guardadas esperando uma oportunidade de entrar em algum trabalho futuro de um dos dois compositores. A música "Orgulho do vovô" não chegou a entrar na gaveta, teve passagem direta para o 21º CD de Pagodinho. E é Zeca quem conta em que situação a música foi feita: "Meu compadre Arlindo foi conhecer o Noah, mas antes de ele ir até o quarto da criança, paramos na sala e de repente começamos a fazer a música. Ela ficou pronta no mesmo dia, ou melhor, na mesma noite. Ficamos embriagados e o Arlindo foi embora. Esqueceu de ver o menino. No dia seguinte, eu falei para ele: 'Acabou que você não viu o neném' e ele me respondeu: 'É mesmo, precisamos marcar outra cerveja.'"

Está em festa o meu barraco
Todo dia é carnaval
Criado ao som do cavaco
Ninado no meu quintal
E que os grandes partideiros
Tragam a corda e a caçamba
Que meu neto seja herdeiro
Do meu amor pelo samba

A inspirada "Orgulho do vovô" ganha arranjo do maestro Leonardo Bruno com direito a violas, violino, cellos e até mesmo a introdução de uma harpa. Leonardo Bruno, presente em todos os discos de Zeca, é responsável também por vários outros arranjos marcantes, como do romântico samba "Lama nas ruas", do *Acústico MTV*, e de "Ogum", do CD *Uma Prova de Amor*. Rildo Hora, numa afirmação que mostra sua admiração pelo maestro, diz: "Tem arranjos do Leonardo que botam os meus no chinelo. Estou exagerando para deixar claro o meu respeito pelo cara. Ele não é fácil e quando pega o violino então é danado. Depois que meu mestre Guerra Peixe morreu, é com Leonardo Bruno que faço minhas consultas sobre música."

"Vida da minha vida", de Moacyr Luz e Sereno, abre o álbum em grande estilo. E, apesar de já ter sido gravada por Zeca, no álbum de Moacyr Luz , ele a elege para dar nome a seu disco por se tratar de uma canção que é primorosa em melodia e poesia.

Vida da minha vida
Lua que encadeou
Uma canção bonita, feita pro meu amor
Vida da minha vida, olha o que me restou
Flores na despedida, versos de um amador

Logo em seguida, Zeca, que tem um amplo conhecimento acerca da música popular brasileira, resgata a canção "Poxa", sucesso dos anos 1970, do compositor paulista Gilson de Souza. A música chamou a atenção de Pagodinho quando ele a ouviu na rádio Tupi AM enquanto esperava a entrada da oração ave-maria, que costuma ser veiculada, diariamente, às seis da tarde. "Eu estava procurando um sucesso antigo que não estivesse tão vivo na memória das pessoas. Gosto de fazer isso porque acabo puxando um compositor que está esquecido", relembra Zeca. "Poxa" é escolhida como música de trabalho do CD e volta a tocar nas rádios quatro décadas depois de seu lançamento.

Além das presenças de parceiros constantes como Nelson Rufino, em "Hoje eu sei que te amo"; Almir Guineto, Magalha e Fred Cama-

Com Noah, o primeiro neto (foto: Adriana Penna)

cho, em "Pela casa inteira"; Toninho Geraes, desta vez acompanhado de Fabinho do Terreiro e Randley Carioca, em "Desacerto"; Beto Sem Braço e Serginho Meriti em "Chama da saudade"; Trio Calafrio, em "O som do samba"; Efson, Marquinhos PQD e Carlito Cavalcanti, em "Quem passa, vai parar", que tem participação de Alcione; há outras. O disco conta ainda com compositores não recorrentes, como o cearense Raimundo Fagner, que assina junto com Brandão a canção "Um real de amor". Além dele, três baluartes do samba carioca dão sua contribuição. São eles: Nelson Sargento, grande sambista mangueirense gravado pela primeira vez por Pagodinho; Dona Ivone Lara e Délcio Carvalho, que trazem para o disco, respectivamente, "Encanto da paisagem", com participação do próprio Sargento; e "Candeeiro da vovó" com a importante presença da Velha Guarda do Império e de Regina Casé no coro.

"Dolores", samba de Monarco e Mauro Diniz, que foi substituído por "Não há mais jeito", outro da dupla, no disco *Uma Prova de Amor*, entra agora neste novo CD. Tal atitude prova, mais uma vez, que a intuição de Zeca funcionou ao dizer a Monarco: "Segura o samba porque na hora certa ele vai entrar no meu repertório." Essa intuição é comprovada quando "Dolores" conquista o Prêmio da Música, na categoria "Melhor Canção" do ano de 2010.

Vida da Minha Vida é dedicado a Beth Carvalho. Zeca mostra a importância de Beth, que impulsionou sua carreira nos anos 1980 quando o conheceu nos pagodes do Cacique, com a seguinte frase: "Tudo o que eu tenho foi a madrinha que me proporcionou. Ela me apresentou a este mundo cão que só tem orgia e eu adoro!"

MULTISHOW AO VIVO
Zeca Pagodinho
30 ANOS
VIDA QUE SEGUE
MULTI
SHOW

22º CAPÍTULO

VIDA QUE SEGUE (2013)

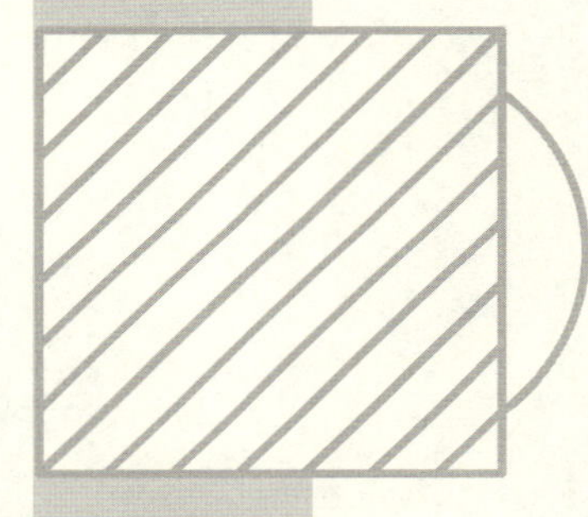

DISCO 22

VIDA QUE SEGUE (2013)
Gravadora: Universal
Produção: Rildo Hora
Direção de Arte: Gê Alves Pinto
Projeto Gráfico: Pato Vargas
Fotos: Guto Costa

1. **ATIRE A PRIMEIRA PEDRA**
(Ataulfo Alves / Mário Lago)
2. **AQUARELA BRASILEIRA**
(Silas de Oliveira)
3. **ABRA A JANELA**
(Arlindo Marques Jr. / Roberto Martins)
4. **OPINIÃO**
(Zé Kéti)
5. **GOSTO QUE ME ENROSCO**
(Sinhô)
6. **PRECISO ME ENCONTRAR**
(Candeia)
Participação especial: Marisa Monte
7. **MASCARADA**
(Zé Keti / Elton Medeiros)
8. **O SOL NASCERÁ (A SORRIR)**
(Elton Medeiros / Cartola)
9. **SE EU ERREI**
(Humberto de Carvalho / Francisco Netto / Edu Rocha)
10. **DIZ QUE FUI POR AÍ**
(Zé Keti / H. Rocha)
11. **ESCURINHA**
(Geraldo Pereira)
12. **MADAME**
(Zeca Pagodinho / Ratinho)
13. **FOI UM RIO QUE PASSOU EM MINHA VIDA**
(Paulinho da Viola)
Participação especial: Paulinho da Viola e Velha Guarda da Portela
14. **TREM DAS ONZE**
(Adoniran Barbosa)
15. **SÓ O ÔME**
(Edenal Rodrigues)
16. **BARRACÃO**
(L. Antonio / Oldemar Magalhães)
17. **BATUQUE NA COZINHA**
(João da Baiana)
18. **PIMENTA NO VATAPÁ**
(Cláudio Jorge / João Nogueira)
19. **VEM CHEGANDO A MADRUGADA**
(Noel Rosa de Oliveira / Zuzuca)
20. **A VIDA QUE SEGUE**
(Serginho Meriti / Rodrigo Leite / Cocão)

Com Paulinho da Viola, Marisa Monte e Mauro Diniz (foto: Adriana Penna)

VIDA QUE SEGUE (2013)

Ano de 1981. O local é a quadra do Cacique de Ramos. Debaixo de uma tamarineira, bambas do samba entoam seu canto. Por lá, um rapaz franzino, com seu cavaquinho dentro da sacola de supermercado, está tentando não um lugar ao sol, mas sim na roda, querendo se juntar aos grandes partideiros e mostrar suas composições. Por lá está também, se embriagando desse novo som, a já conhecida Beth Carvalho, fada madrinha desse conto que não terá nem príncipes e nem princesas, mas uma história quase fantástica de um personagem chamado Zeca Pagodinho.

Este capítulo pode soar repetitivo, porém não há como escrevê-lo sem se remeter ao início da trajetória de Zeca, já que ele trata dos 30 anos de carreira do artista, que tem como marco a gravação de "Camarão que dorme a onda leva", em 1983, no disco *Suor no Rosto* de Beth Carvalho. De lá pra cá tudo mudou. Zeca que tinha como sonho ser reconhecido como compositor e poder escutar suas músicas nas rádios, mesmo que fosse através de outros cantores, se torna um dos principais artistas da música brasileira contemporânea. Está fazendo história como

Thybau José Fernandes, tio-avô de Zeca, o patriarca do clã

fizeram Noel Rosa, Wilson Baptista, Cartola, Nelson Cavaquinho e outros mais que serão eternos na memória do povo brasileiro.

Embora a contagem para a data seja feita a partir desta gravação de 1983, o artista, nesse CD e DVD *Multishow Ao Vivo – Zeca Pagodinho 30 Anos – Vida que Segue*, resgata canções de sua memória afetiva, músicas que ouvia na infância e na adolescência, no seio de sua família. Tudo começa ali, com a influência do tio-avô materno Thybau José Fernandes, patriarca do clã, que tinha o poder de agregar não só os seus familiares como também vários amigos, com seu amor, sua alegria e sua música. Na casa, situada em Irajá, na Rua Marinho Pessoa, o ambiente era sempre de festa, como conta o filho de Thybau, Roberto José Fernandes, o Beto Gago, primo e parceiro de Zeca em músicas como "Tempo de criança", "Se eu for falar de tristeza" e "Faixa amarela": "As festas lá em casa tinham uma particularidade, eram sempre de improviso. Do nada meu pai pegava o violão, começava a tocar, a gente ia pra sala já cantando e varávamos a noite. E depois que conheceu o Paulão (7 Cordas), ele o queria em todas as reuniões. Imagina, naquela época, em que não existia celular, encontrar o Paulão não era tarefa fácil, mas tínhamos que ir atrás dele."

Paulão 7 Cordas, atual diretor musical da banda Muleke – que acompanha Pagodinho desde o início de sua carreira – e produtor de discos de inúmeros nomes do samba, era amigo de Beto e de Jorge, o Meco, irmão mais velho de Pagodinho. Andavam juntos pelas madrugadas sempre em busca de boa música e afins. Invariavelmente, o violonista acabava "caindo" para dormir na casa de dona Irinéa e seu Jessé – pais de Meco e Zeca – e de lá seguia com eles para Irajá.

Thybau, funcionário de uma autarquia, não chegava a ser um profissional, mas entendia de música. "Meu pai ensinou todo mundo a cantar. Ele teve um regional. Tocava flauta, mas perdeu os dentes e com isso a embocadura e então passou para o violão. No repertório da casa, muita seresta e partido-alto", conta Beto Gago.

Zeca e Marisa Monte (foto: Guto Campos/Universal Music)

Foi nesta casa que Zeca e seus três irmãos mais velhos nasceram, na cama de Thybau, com auxílio de uma parteira. E era para lá também que, no tempo em que morava em Del Castilho, Zeca partia nos finais de semana para se juntar à cantoria que era feita com o povo reunido no quintal, embaixo de uma goiabeira, uma das árvores frutíferas que marcaram o caminho de Zeca. Além dela, existiram também a tamarineira do Cacique e a jaqueira conhecida como Jaqueirão. Essa última "viu nascer" vários sucessos nas seleções de repertório feitas pelo sambista em Xerém e virou título de um documentário de Denise Moraes e Ricardo Bravo sobre o processo de criação e escolha dos sambas gravados por Pagodinho. Mas voltando a Thybau, ele gostava da casa cheia e farta. Os pratos preparados por sua sobrinha, a "Tia Naia", irmã de dona Irinéa, para alimentar a tropa, variavam entre mocotó, feijoada, cozido, dentre outros do gênero. Beto Gago lembra que, num determinado momento, vinte e duas pessoas moravam em sua casa: "E papai adorava ter que ir à padaria e comprar aquela quantidade de pão." Qualquer aspecto que faça lembrar o nosso Pagodinho não é mera coincidência. Zeca é a semelhança de Thybau, parece ter levado para seu quintal, em Xerém, o mesmo clima do quintal de Irajá e para sua vida, os ensinamentos do tio. "O Zeca era muito agarrado a meu pai. Até as datas de aniversário são próximas, Zeca é do dia 4 de fevereiro e meu velho era do dia 7 do mesmo mês", reconhece Beto.

Mas como diz o próprio Beto Gago, chegou uma hora que Zeca cresceu, criou asas e voou. Porém, carregou com ele toda a vivência e aprendizado dos tempos de Irajá. Como se fosse uma homenagem à família ou a si próprio, ele comemora seus 30 anos de carreira com o álbum *Vida que Segue* contendo no repertório músicas que fazem parte da sua história e foram significativas para que seu caminho começasse a ser traçado. "Todas as músicas deste DVD eram cantadas em nossa casa", afirma o primo do sambista.

Zeca e o rei Pelé (foto: Adriana Penna)

Idealizado por Max Pierre, que neste trabalho assina também a direção musical, o DVD, gravado em dezembro de 2012 no Pólo Rio de Cine e Vídeo, desfilou uma série de clássicos como: "Vem chegando a madrugada" (Noel Rosa de Oliveira e Adil de Paula), "Opinião" (Zé Kéti), "Trem das onze" (Adoniran Barbosa), "Atire a primeira pedra" (Ataulfo Alves), "Volta por cima" (Paulo Vanzolini), "O sol nascerá" (Elton Medeiros e Cartola), "Eu agora sou feliz" (Jamelão e Mestre Gato), "Escurinha" (Geraldo Pereira) e outras mais. Para realizar a gravação, Max, que desde 2007 não faz mais parte do quadro da diretoria artística da gravadora Universal, conta com a parceria da empresária de Zeca Pagodinho, Leninha Brandão, responsável pela coordenação executiva. Os dois tiveram o apoio da gravadora e do canal Multishow, a fim de garantir uma superprodução ao projeto. "Tivemos vinte e cinco músicos em formações diferentes, cinquenta e cinco pessoas na parte de vídeo, quarenta no áudio e vinte no cenário, foi muita gente envolvida e o resultado foi maravilhoso. Zeca estava feliz", conta Leninha.

O DVD tem uma ficha técnica impecável, começando pelas participações especiais: os virtuoses Hamilton de Holanda e Yamandu Costa travam um duelo de cordas enquanto acompanham Zeca em "Gosto que me enrosco" (Sinhô). Eles permanecem em cena para receber Marisa Monte que reinventa, junto com o sambista, "Preciso me encontrar" (Candeia). Paulinho da Viola e a Velha Guarda da Portela se juntam a Zeca e os três representantes legítimos da azul e branco cantam o hino "Foi um rio que passou em minha vida", de autoria do próprio Paulinho. Leandro Sapucahy coloca seu tempero em "Batuque na cozinha" (João da Baiana). Outra presença de destaque no trabalho é a de Xuxa. Junto com os alunos da Escola de Música do Instituto Zeca Pagodinho, ela grava, em estúdio, "Vida que segue", faixa-título do álbum, de Serginho Meriti, Rodrigo Leite e Cocão, a única inédita do disco.

E as participações não param por aí, um time de grandes músicos ilumina o DVD. Seu Zé Menezes, outro mago das cordas, também

Zeca e o pai, seu Jessé (foto: Bertrand Linet)

emociona com sua técnica e sua habilidade aos 91 anos de idade. "A única coisa de corda que não toco é sino", diz ele que iniciou sua carreira aos 6 anos e foi, literalmente, abençoado por Padre Cícero. O sacerdote profetizou que Menezes viveria da música e para a música. Além de Zé Menezes, os músicos, Rogério Caetano, o Rogerinho 7 Cordas, e Roberto Menescal contribuem também para o espetáculo. Menescal, o homem da bossa, em depoimento para o *making of* do DVD, expressa sua alegria em fazer parte do trabalho: "Fui convidado para tocar em 'Opinião', música já gravada por Nara Leão que era minha irmã. Tive uma nova experiência, foi um prazer muito grande estar junto com essa moçada do samba que é muito competente e que eu só conhecia de nome. Acho que detesto a Bossa Nova. Agora só quero saber de samba", brinca o músico. A lista inclui também entre a feitura dos arranjos e participações especiais nomes como Rildo Hora, Paulão 7 Cordas, Julio Teixeira, Mauro Diniz, Nilton Rodrigues e Roberto Marques.

Na gravação, Zeca esbanjou humor. Estava, como constatou sua empresária, feliz. Desta vez, seu nervosismo só lhe causou uma dor na garganta fácil de resolver. O problema mais grave se deu antes da gravação, quando ele estava prestes a retirar do repertório "Mascarada", de Zé Kéti e Elton Medeiros, por achar que não conseguiria cantá-la. O medo tomou conta, mas ele, é claro, gravou a música "de primeira" e desabafou com a plateia: "Essa música me custou uns quatro comprimidos de Lexotan." No mais, ficou à vontade, estava realizado na companhia dos amigos, cantores e músicos, incluindo a sua banda Muleke.

A direção do DVD ficou a cargo de Joana Mazzuchelli que acompanha Zeca desde o primeiro *Acústico MTV*. O elogiado cenário, assinado por May Martins, foi inspirado no Rio antigo, lembrando o Morro da Providência e a Central do Brasil.

As músicas o remeteram tanto a sua época de Irajá que o artista teve vontade de voltar à boemia, como ele mesmo costuma brincar

Zeca na porta do Encore Theater, do Hotel Wynn, em Las Vegas: primeiro brasileiro naquele palco

"o espírito de Zeca Pagodinho, aquele lá do começo, queria incorporar". Ao interpretar, no palco, a música "Diz que fui por aí", Zeca procura a mulher na plateia e avisa: "Mônica, tá onde? Já sabe, né? Hoje, só amanhã! Melhor, só depois de amanhã, à tarde!" Uma vez Zeca Pagodinho, sempre Zeca Pagodinho. Esta espontaneidade, aliada a seu carisma e sua solidariedade fazem com que o povo brasileiro o consagre.

Segundo pesquisa realizada com os cariocas pela agência Quê Comunicação e pela Casa 7 Núcleo de Pesquisa, com exclusividade para *O Globo* e publicada na edição de 3 de março de 2013 na revista dominical do jornal, Zeca é o cara que personifica a felicidade. Esse resultado acontece mesmo depois do sambista, com a imagem desolada, ter sido manchete de jornais e TVs por vivenciar o drama das vítimas das chuvas que causaram vários desabamentos de casas e estragos em Xerém em janeiro de 2013. Zeca saiu à rua para ajudá-las. Na mesma matéria, o sociólogo e compositor Nei Lopes dá sua explicação: "No episódio de Xerém, Zeca mostrou outra faceta, uma grande preocupação social. No estereótipo da alegria, criado para ele, não cabe o sentido de irresponsabilidade."

Neste mesmo ano de 2013, Zeca Pagodinho e equipe viajam a Nova York para fazer, pela primeira vez, o Brazilian Day. Segundo os organizadores, a apresentação foi recorde de público, um milhão de pessoas circularam pelo evento. A próxima parada era Las Vegas, onde o artista é o primeiro brasileiro a se apresentar no Teatro do Hotel Wynn. Lotação esgotada com direito a presença do rei Pelé na plateia. Vida que segue...

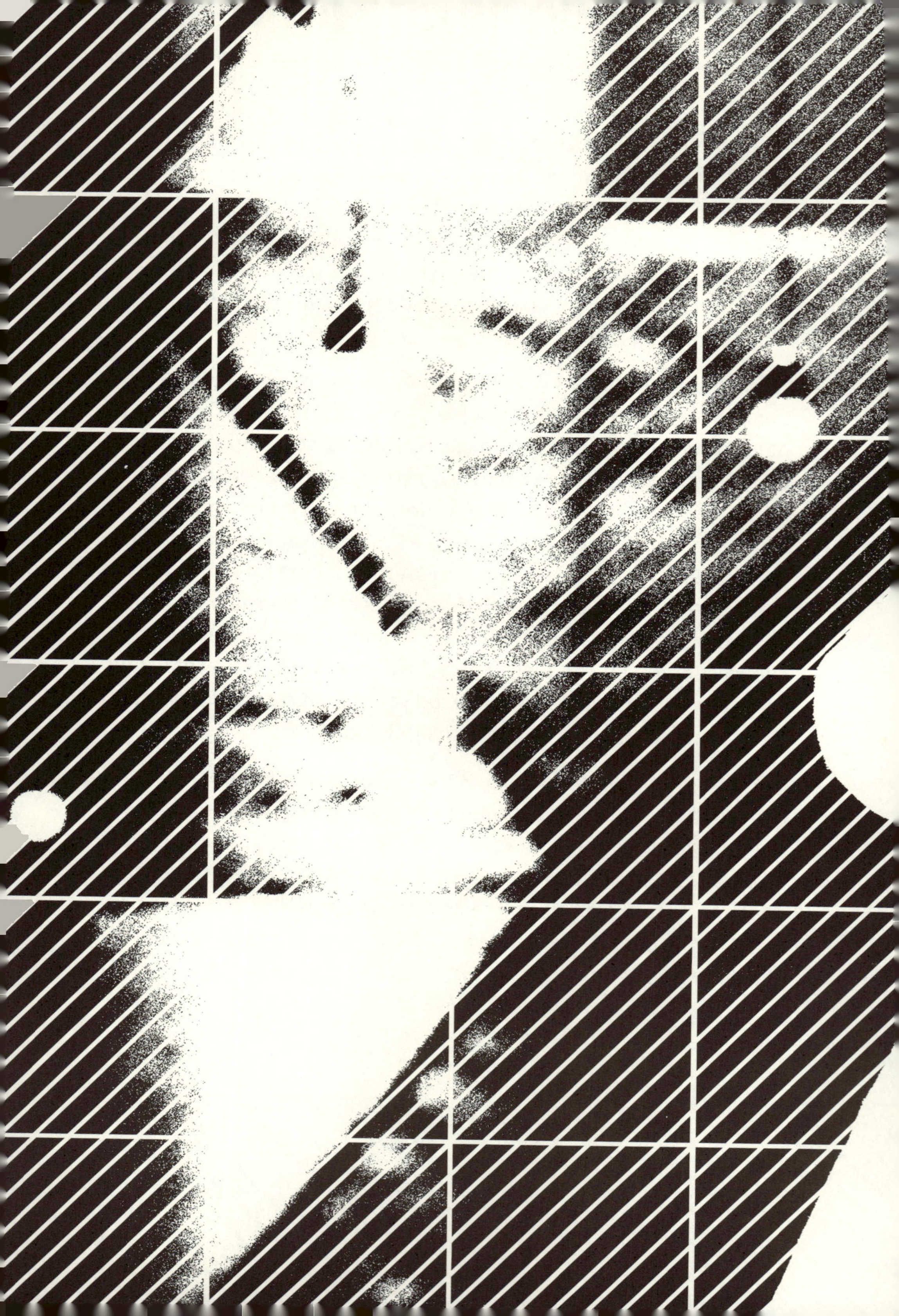

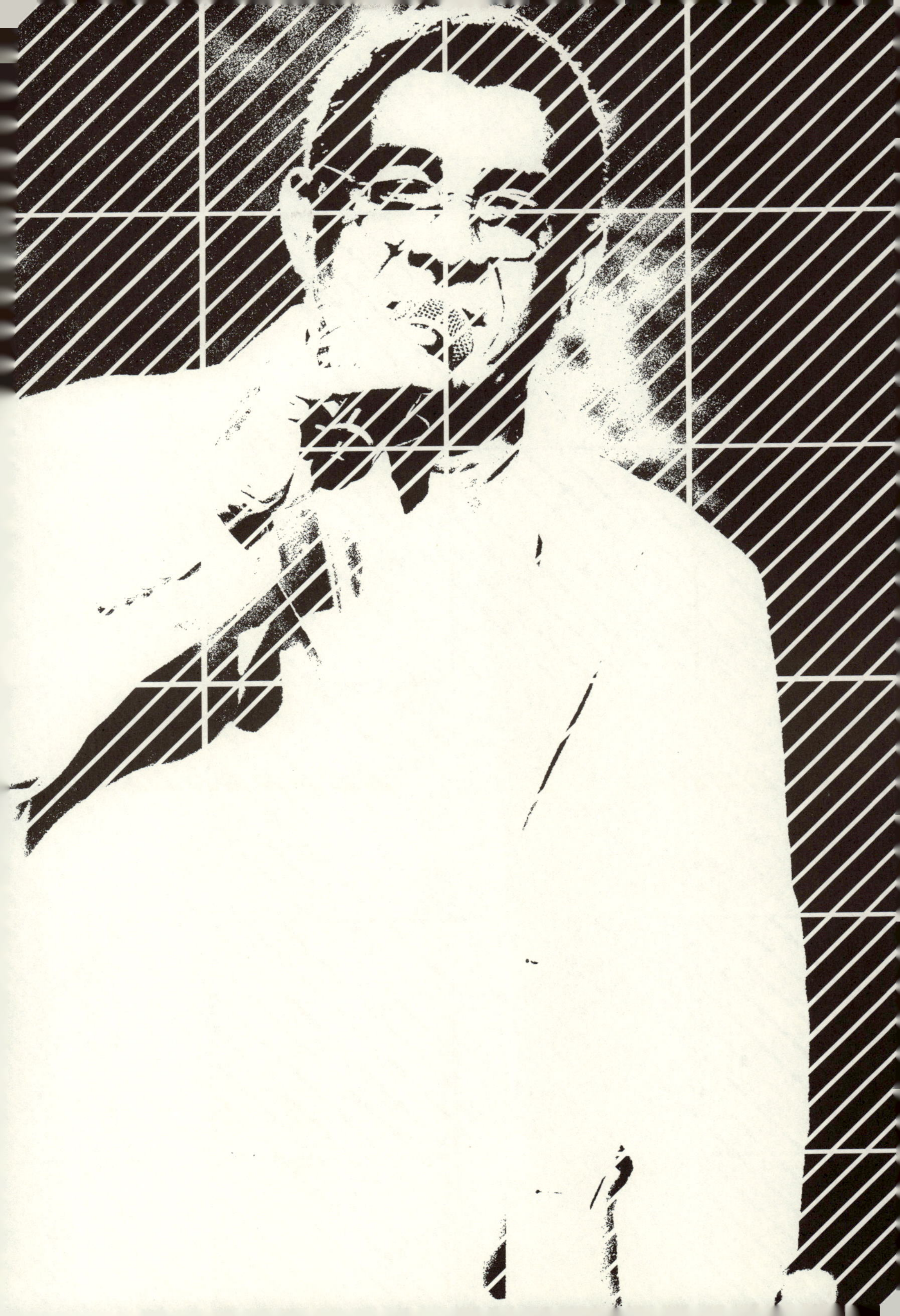

AGRADECIMENTOS

Para escrever sobre Zeca Pagodinho foi preciso entrar em seu universo: viagens a Xerém e à Barra da Tijuca, CDs tocando sem parar e muita bebida nas conversas, seja nos papos do grupo de trabalho ou nas entrevistas com alguns personagens deste livro que nos cederam seu tempo e suas histórias – e aqui ficam nossos agradecimentos a Arlindo Cruz, Beto Gago, Dudu Nobre, Ivan Paulo, Jorge Cardoso, Leda Nagle, Leninha Brandão, Mauro Diniz, Max Pierre, Milton Manhães, Moacyr Luz, Monarco, Nei Barbosa, Paulão 7 Cordas, Rildo Hora, Toninho Geraes, Zé Roberto e, claro, o próprio Zeca. Além deles, muitas outras pessoas contribuíram para esta obra, por isso deixamos aqui nosso obrigado a Aydano André Motta, Bernardo Araújo, Fabiana Sobral, Luiz André Alzer, Luiz Fernando Vianna, Marco Antônio Martins e Thalita Martins.

Falar de Zeca é ficar horas sem perceber o tempo passar, tentando definir o indefinível. É sentir-se inebriado (também no sentido figurado) por sua figura carismática, encantadora, simples em sua enorme complexidade, por tudo que ele significa para os milhões de fãs Brasil adentro. E a nossa responsabilidade por tentar chegar per-

to do que ele representa? Afinal, estamos diante de um novo Noel Rosa... Ou de outro Macunaíma?

Um personagem que é tudo isso e nada disso ao mesmo tempo. Que é pai de família, criança, partideiro, amigo, malandro, artista, antiartista, profissional e, acima de tudo, um homem de bem. Em determinado momento, foi preciso desistir da tentação de querer defini-lo. Para compreender Zeca Pagodinho, basta vê-lo em cima do palco e sentir o que ele provoca em seu público. E, para isso, não há explicação.

FALANDO SOBRE ZECA... (DEPOIMENTOS)

“

O Zeca é um artista completo.”

Arlindo Cruz

“

Sem querer, ele conseguiu construir uma carreira acima do bem e do mal.”

Dudu Nobre

“

Zeca é um repentista. Ele tem uma criatividade incomparável nos versos.”

Mauro Diniz

“

Ele é absolutamente diferente de todos os artistas com que já trabalhei, um caso único.”

Max Pierre

“

Zeca sempre teve um amor muito grande pela Velha Guarda da Portela.”

Monarco

“

Ele sempre foi bom letrista, tem facilidade com as palavras. E também faz melodia boa.”

Paulão 7 Cordas

“Zeca é muito generoso. Ele sabe que é um astro e quer levar os companheiros com ele.”

Rildo Hora

“Ele é o samba vibrando nele o tempo todo.”

Mariene de Castro

“A interpretação dele é foda!”

Emicida

“Zeca é completamente encaixado no modo brasileiro de ser.”

Gilberto Gil

“Zeca está sempre no repertório de quem canta samba pela qualidade e pela sua representatividade.”

Nilze Carvalho

“Zeca é genuíno.”

Roberta Sá

“Ele tem uma sofisticação na divisão dele que é uma coisa muito própria, muito pessoal.”

Djavan

“Se ele tivesse nascido na Europa ia ser um Beethoven, um Wagner. Ia ser um desses caras.”

Maestro Nailon Proveta

“Ele é a própria crônica. No samba, hoje em dia, ele é o nosso pilar.”

Diogo Nogueira